Franç

Vacarme dans la salle de bal

I

Emménager dans un nouvel appartement, c'est comme venir au monde : parfois on tombe mal. Et impossible de se débarrasser du mal, à moins d'en crever ; ou de déménager une nouvelle fois, avec l'espoir de la résurrection. Grande affaire.

Longtemps, j'avais cherché l'issue : depuis ma rencontre avec Célestine, j'avais changé de ventre ; un jour chez elle, une fois chez moi, jamais vraiment quelque part. À quand le terme ?

Et puis, un soir, vous marchez sur un boulevard, vous vous arrêtez devant des volets fermés. Pourquoi ? Vous êtes prêt sans le savoir. C'est votre heure. Un grand type se précipite sur vous. Vous venez de la part de l'Agence ? Quelle Agence ? L'Agence Vie Nouvelle. Pas moins. Vous êtes ébahi ; et innocent. Vous voilà embarqué pour la visite du nouveau monde. Trompeur, le nouveau monde : il est vieux, quelques murs à rafraîchir, des moulures à repeindre, des carreaux fendus, mais il a encore belle allure, vaste, haut, lumineux. Si on visitait sa vie future, on négligerait les défauts, on ne retiendrait que le bonheur possible ; ceux qui sont destinés à nous nuire passeraient dans un brouillard lointain, les tragédies seraient silencieuses.

J'ai conclu l'affaire immédiatement, vivons ici puisqu'il faut vivre. Acceptons quelques semaines de douleur, le temps de rassembler meubles et effets, de convaincre Célestine de partager avec moi ce modeste

Éden, elle qui a toujours vécu libre et seule. Un matin, je passe la tête par la porte.

Tiens, c'est un peu plus petit que je ne le croyais. Mais de bonne dimension encore. Un peu plus sale aussi. Rien d'alarmant; les précédents occupants ont laissé quelques débris.

Tant pis, j'aurai bien le temps de relever les ruines de mon palais. Jouissons de la nouveauté, des surprises des recoins, des menus objets oubliés par des prédécesseurs pressés de partir. Pourquoi pressés ? N'y songeons pas. Plutôt ouvrir et fermer sans fin des portes et des fenêtres. Chez nous, dans le monde, et seuls.

L'illusion m'a duré quelques jours. Puis, il a fallu me rendre à l'évidence: nous avions des voisins.

— Grand enfant, m'a dit Célestine, tu ignorais encore que l'engeance des voisins pullule sur cette terre ?

Je tombais du ciel.

— L'histoire du monde, a-t-elle continué selon sa manière philosophique habituelle et souvent irritante, pourrait bien n'être qu'une histoire de voisinage. Adam et Ève finissent toujours par avoir des voisins, et des ennuis.

Un petit bonhomme, en particulier, s'est manifesté de façon saugrenue: désordre, agitation, vacarme sous nos pieds. Sous nos pieds ? Je croyais avoir loué le rez-de-chaussée d'un vieil immeuble de ville; voilà que je me découvrais un voisin du dessous. Il vivait, plutôt non: il s'abritait dans une ancienne loge de concierge, en sous-sol. Notre cave donnait sur sa chambre à coucher. Je n'avais pas imaginé que ces étroites fenêtres à barreaux noirs, qui s'ouvraient à même le trottoir, dissimulaient un homme, une sorte de taupe moustachue et solitaire.

Lui ai-je dit bonjour, durant ces premiers jours ? Deux fois peut-être, une fois sans doute; je ne sache pas qu'il ait répondu à mon salut. Que je sois un locataire de fraîche date explique-t-il qu'il fuie si obstinément mon regard ? Qu'il me donne l'impression d'être hostile quoi qu'il arrive ? Nous pourrions nous ignorer, comme bien des voisins au monde, mais un petit rien établit un lien entre nous, un lien ténu et flou, intermittent, mais déjà plus lourd et plus douloureux à l'épiderme que des chaînes : dès que nous nous enfermons, lui dans sa taupinière, moi dans mon entresol, et que nous séparent seulement lui son plafond, moi mon parquet, ce petit rien entre nous, c'est son grand boucan. Ça barde tout de suite. Voici que du fond de la crypte sur laquelle je m'apprêtais à bâtir avec Célestine une cathédrale de paix vouée au recueillement voluptueux et à la musique de chambre, s'élève un sabbat de bal musette.

II

De semaine en semaine, semblait-il, notre voisin prenait de plus en plus ses aises avec nous. Il s'était méfié des nouveaux arrivants : tendons le dos, des violents peut-être ?... Et puis non... rien à craindre de nous, sérieux, paisibles... Il se laissait aller : des flamencos éperdus montaient jusqu'à nous, nous enveloppaient, nous imprégnaient, comme si la musique qu'en toute autre circonstance nous aurions dégustée à petites lampées se faisait colle, tache indélébile, se coagulait dans nos veines, masse immobile et sans fin – le contraire de la musique.

Je me réfugie dans la chambre la plus reculée, au bout d'un long couloir où tout serait assourdi. Après une éternité, l'impression d'un silence enfin rétabli me ramène à pas prudents, une polka soudaine me renvoie à mon réduit. Alors des tangos éculés succèdent, avec une intensité accrue, à des javas ressassées. Aucune cachette n'est préservée ; le crime sonore s'infiltre partout ; j'ai débarqué dans un monde où les rats et la peste ont pris le visage de mon voisin, l'allure de la musique que j'aime par-dessus tout et que je me prends à haïr au point d'avoir honte de moi-même. Célestine se contente de soupirer, moi, je gronde, avisons. Prévenir le propriétaire ? Il est loin et nous nous donnerions le rôle des sycophantes. Désagréable. Frapper à la porte du voisin, lui manifester fermement notre irritation ? Raisonnable. Demain, s'il recommence, promis, j'irai.

Suivent trois soirées de calme relatif. À croire que cet

homme a des oreilles chez nous, qu'il devine nos griefs ou pressent les limites de notre patience. Nous voici paralysés, je bous. Célestine s'étonne de me voir furieux, quand le silence devrait me réjouir. Il est pénible, ai-je répété, de prendre des résolutions sans être en mesure de mettre ses plans à exécution. L'attente me trouble plus encore que la frénésie rythmique : *please* un charleston, *per favore*, n'importe quelle tarentelle, *favore, favore*, un fandango, une matchiche, une tyrolienne, *bitte*, tout ce que vous voudrez qui nous martèle le crâne et justifie ma colère.

Le quatrième jour, épuisé, je somnole, quand montent jusqu'à nous des rythmes sirupeux et indéterminés où se mêlent, autant que nous puissions en juger, clarinette et orgue électrique, le comble de la désolation, juste assez fort pour me réveiller, pas assez pour nous exaspérer définitivement. Le savant picador asticote le taureau sans le brusquer. Ce n'est pas encore ce soir que j'irai chasser la taupe.

Célestine me pousse à la modération. La manière forte reste sans effet sur de tels individus, soutient-elle. Du doigté, de la finesse. Désormais, je guette les occasions de rencontrer « fortuitement » mon voisin, de le saluer encore et encore jusqu'à obtenir une réponse.

Ce n'est pas si aisé qu'il y paraît : j'emprunte la porte principale et massive de notre immeuble, une porte de bois rouge, vraiment pesante, épuisante à ouvrir, bruyante à la fermeture – une explosion à mes tympans, malgré mes efforts, à chaque fois, pour la retenir ; lui se glisse dans son sous-sol par une porte de service, dix mètres plus loin, à gauche, basse, si basse qu'il est contraint de se plier en deux pour la franchir.

Admirons les architectes du XIXe SIÈCLE qui, soucieux d'indiquer à chacun sa place, ont conçu pour la domesticité des portes destinées à lui faire sentir, comme au passage des Fourches Caudines, l'humilité de sa condition. Mon voisin en a si bien admis le principe qu'il est tout voûté. Cette tête rentrée dans des épaules presque bossues lui donne l'allure d'un vieillard qu'il n'est pas. Pas plus de quarante-cinq, cinquante ans, mais penché à ne pas dire bonjour à son meilleur ami. Et à moi donc… Comment alors engager la conversation, si je m'échine à pousser ou tirer un battant que je dois retenir, retenir… et voilà, il m'a encore échappé, un bang à rétracter ce qu'il me reste de tympan. Pendant ce temps, l'animal s'est faufilé par son portillon. La rencontre aura lieu une autre fois.

Il m'est venu une idée pour faciliter mon approche. J'ai noté que le facteur fait bien son travail. Un hommage aux employés de la Poste n'est jamais malvenu. Oui, notre facteur prouve, presque chaque jour, son efficacité. Presque : certains jours, il s'absente – maladie, enterrement, vacances, que sais-je ? Ces jours-là, un remplaçant opère ; il ignore qu'il faut glisser une partie du courrier (adressée aux occupants des chambres de bonne et du sous-sol) sous la porte de service et le reste dans les boîtes à lettres situées dans l'entrée principale, derrière la grande porte qui fait trembler l'immeuble.

Le remplaçant est un homme imbu de sa fonction et méprisant : il ne daigne pas faire une halte devant la petite porte de service et dépose toutes les lettres dans le hall, entassant par terre celles dont le nom du destinataire ne figure pas sur les boîtes dûment étiquetées. Des locataires bienveillants se chargent d'une redistribution ultérieure, parfois après quelques jours seulement, je dois le préciser, quand le courrier en souffrance devient encombrant. Je serai désormais l'un de ces locataires bienveillants, et plus diligent que les autres ; je porterai moi-même, sitôt que l'occasion se présentera, son courrier à mon voisin.

III

C'est fait, la nouvelle est d'importance et mérite d'être communiquée au monde : en des temps où, dans des états disloqués, chacun se croit tenu d'exécuter à bout portant son ex-voisin, j'ai parlé au mien. Je n'ai pas même eu besoin, en cette époque douloureuse pour mes oreilles, de tambouriner lourdement à sa porte. Il fixait d'un air déçu son palier vierge d'enveloppe timbrée. Pas un message, pas une quittance. Je l'ai surpris par-derrière, comme si je surgissais de ma cave ; j'ai pris un air enjoué ; j'agitais, la main haut levée, deux lettres tamponnées, un véritable triomphe. Quand il a compris le but de ma visite, son œil s'est allumé, il s'est jeté sur moi, qui le dépasse d'une tête ; j'ai baissé la main pour ne pas jouer avec ses nerfs.

— Votre courrier en main propre, monsieur… Monsieur ?

J'étais embarrassé car une enveloppe portait la mention : « Monsieur Jacques Émile », l'autre : « Monsieur Émile Jacques ». Rat ou taupe ? avais-je pensé. L'un ou l'autre, il se précipitait dans le piège tendu par mes soins. Monsieur Émile ou monsieur Jacques, je te tiens.

A-t-il répondu à ma question ? M'a-t-il remercié ? Je ne crois pas : pas plus que le bonjour, le merci ne lui est familier.

— Une lettre de Paul ! a-t-il crié. Et une autre de mon vieux collègue !

Un ancien collègue ! Je me doutais bien, pour l'avoir observé au long de quelques semaines, que ce solitaire, encore loin de l'âge de la retraite, menait la vie d'un homme sans emploi : reclus le plus souvent, errant parfois, le pas lent, cherchant un but. Je joue mon rôle de voisin qui s'intéresse :

— Quelle était donc votre profession ?

Il s'assombrit, me répond hâtivement. Une autre époque... fini... il n'exerce plus... de l'histoire ancienne...

Il m'attendrit, je l'ai traité avec trop de condescendance. J'ai l'arrogance facile, je m'en voudrai toujours. Et puis, il m'intrigue avec ses airs mystérieux : je le presse de questions. Rien à faire, il ne se livrera pas ce matin. Trop fuyant, évasif.

J'allais oublier l'objet réel de ma venue : ne nous laissons pas émouvoir par un petit personnage hâve et maigre ; nous avons un contentieux à régler, le mécanisme de ma souricière doit claquer sur ce cou osseux. Mais comment glisser ici une allusion à notre affaire ? Après ce petit épanchement sentimental, même vite refréné, comment lui lancer de but en blanc : « Votre musique vulgaire me casse les oreilles, c'est insupportable ? » Plutôt agir en douceur, suivant le conseil de Célestine, saisir l'occasion qui se présente toujours...

M. Émile ou Jacques ? Non, non, Émile, pour ne plus avoir à me répondre, me questionne à son tour, en voisin poli : mon métier ? Mes occupations ?

Je crois alors pouvoir jouer au plus fin ; le moment est venu de lui faire comprendre, avec discrétion, sans le blesser, avec habileté (ah ! Célestine, pourquoi t'ai-je écoutée ?) et, toutefois, ce rien d'ironie à la fois aimable et méchante qui laisse l'interlocuteur dans le doute, oui, le moment est venu de lui suggérer au moins ma désapprobation, peut-être mon agacement :

— Voyez-vous, actuellement, je prépare une thèse, oui, oui, une thèse historique, sociologique, psychologique sur les bals à travers les siècles. Leurs formes diverses. Leur rôle dans la société de leur temps. Les danses qu'on y pratiquait. Les musiques qui les accompagnaient. Vous me comprenez, j'imagine, vous me comprenez, n'est-ce pas ? Les bals, bal à la cour... bal champêtre... bal populaire... et toutes leurs musiques ! La variété inépuisable de leurs musiques !

Je ne me lasse pas d'insister et je sens le fantôme d'une malice poindre dans le coin de mon œil... S'il n'a pas saisi... Je vois le sien : il n'a pas saisi.

J'ai eu tort, j'en conviens : pourquoi m'adresser à cet homme sur ce ton ? Pourquoi bâtir un mensonge si grossier qu'il en devient invisible ? Comment ai-je pu ne pas mesurer les conséquences de cette plaisanterie anodine ?

— Mais vous êtes quelqu'un, alors, me dit M. Émile (et sa moustache s'est dressée, son regard brille comme tout à l'heure). J'aimerais bien lire votre travail, même s'il n'est pas tout à fait fini. Je suis sûr qu'il me passionnera. Vous savez, le bal, c'est toute ma vie. Vous vous en doutiez ? Quelle chance de vous rencontrer ! Un monsieur s'installe au-dessus de moi, et qu'est-ce qui l'intéresse ? Le bal. Exactement comme moi, mais moi, naturellement, c'est comme pratiquant. Comme quelqu'un qui en a vu et entendu. Ça, je peux vous dire. Vous, bien sûr, c'est l'histoire, c'est intéressant aussi. C'est toujours bien de savoir. Mais, dites-moi, vous en êtes à quelle époque ? À quel chapitre ? Quelle danse ? Quel pas ? Quel pays ? Quelle musique ? Quels instruments ?

Il s'anime, il s'emballe, il virevolte, un pas en avant, en arrière, demi-tour, pas double... il m'entraîne dans le couloir, je trébuche, arrêt, mouvement du buste, il crie :

— Ah ! Ça alors ! Je n'aurais jamais cru ça de vous ! C'est du sérieux, une thèse sur le bal ! Le bal ! Le bal !

Je tourbillonne avec lui, à droite, à gauche, et une et deux, le bal ! le bal ! et trois et quatre. J'entre dans une drôle de ronde, dont on ne sort peut-être jamais.

Le piège s'est refermé. Sur moi.

IV

Une musique sucrée et lancinante s'est infiltrée entre les lattes de notre parquet, tout au long de la soirée qui a suivi, et même une grande partie de la nuit. M. Émile est insomniaque. Il a choisi, ce soir, des rythmes plus paisibles qu'à l'ordinaire, plus feutrés, mais ininterrompus.

Lui ai-je procuré une sérénité nouvelle ? Je l'imagine, dans son trou noir, allongé, fumant, l'œil vague, l'oreille ravie, persuadé qu'au-dessus de sa tête, son voisin « bûche » sur le bal à travers les âges ; il aura choisi pour moi ces airs propices à la réflexion.

J'ai rapporté à Célestine ma petite aventure du jour ; elle en a ri, d'abord, puis, grave :

— Géo, c'est une chance pour toi, voilà des années que tu affûtes tes crayons pour rien. Tu passes tes soirées à rédiger des articles pour tes revues médicales et tu ne les termines presque jamais. Combien sont sortis ? Deux ou trois ? La plupart du temps, ils sont scientifiquement dépassés avant que tu sois arrivé au bout de l'introduction. Aujourd'hui, c'est un sujet tout nouveau qui s'offre à toi. D'accord, ce n'est pas ta spécialité, mais quelle est ta spécialité au juste ? Le jour, médecin, mais le soir, quand tu cherches une occupation ? Alors, pourquoi pas le bal ?

Célestine a l'habitude de fustiger mes velléités d'hygiéniste démodé ; mes recherches médicales, selon elle, sont bien trop marquées par mon dilettantisme naturel ; la science ne s'en accommode pas, dit-elle souvent, de son ton faussement sentencieux. La danse, c'est autre chose, alors, au travail ! Et en musique, s'il vous plaît !

Je fourgonne dans les rayons de notre bibliothèque ; quelques-uns de ces ouvrages mal rangés doivent bien évoquer la question... voyons cela... le bal à travers les âges... La poussière me colle aux doigts, la première rangée écrase la seconde, la seconde repousse la première ; littérature, médecine, philosophie et histoire s'affrontent en rangs serrés ; je me promets sans cesse de classer nos livres ; les auteurs se bousculent, s'écornent les uns les autres ; je m'époumone à jurer dans la mêlée. Les bals, les bals, mais qui en a parlé sérieusement, scientifiquement ? La danse, oui, c'est sérieux, mais le bal ? Tiens, Valéry, *L'Âme et la Danse*, je feuillette : « Que peuvent dire des pas ? » Je suis bien avancé. Et dans ses *Cahiers* : « Le danseur ne va nulle part. » Moi non plus.

J'appelle Célestine, je lui montre les décombres de notre bibliothèque : rien, dans tous ces livres, rien. Que faire ?

— Géo, te rappelles-tu le jour où nous nous sommes rencontrés ?

Célestine aime à poser des questions apparemment hors de propos.

— Je n'ai pas le temps de m'en souvenir en ce moment.

— Cette grande soirée des étudiants en médecine, un peu déguisée, où tout le monde dansait ? Sauf toi.

— Sauf toi aussi.

— C'est bien pour ça que no0us nous sommes rencontrés. Tu m'as dit que tu détestais danser.

— Tu m'as dit la même chose.

— Tu crois vraiment que c'est une bonne idée, cette fausse thèse ?

*

Ma paresse, depuis ce jour, a repris le dessus, mais je ne vis plus, ou plutôt ma vie est celle d'un guerrier.

Je fais des tentatives de sortie en solitaire: mon voisin, qui m'a si longtemps ignoré, me guette. Nous nous croisions à peine, nous nous heurtons sans cesse. J'entrouvre la porte, il ouvre grand sa fenêtre:

— Alors, qu'est-ce que vous NOUS avez écrit aujourd'hui? me dit sa tête, au ras du trottoir, entre les barreaux.

Le lendemain, il me barre l'entrée:

— La civilisation du bal, telle que je l'ai connue, se meurt, monsieur, il faut le dire noir sur blanc.

Une autre fois:

— J'ai bien réfléchi – depuis que je sais que vous faites une thèse, je n'arrête pas de réfléchir à la question –, eh bien, pour moi, dites-moi si je me trompe, le bal c'est l'univers en miniature, je vous explique...

J'essaie de ne pas entendre la suite, je suis pressé. Jour après jour, il s'agrippe à moi, il vocifère, il m'apostrophe. Ses propositions... ses certitudes... ses idées... Je bats en retraite. Son expérience... il insiste... sa documentation: il a une documentation: d'anciens amis, son oncle et sa tante, de vrais amateurs, eux aussi, avant guerre, toute une époque... Il fait l'homme de bonne volonté, prompt à m'encourager et à me proposer des services dont je n'ai pas besoin.

Je n'ose plus faire un pas dehors; je ne me sens pas tranquille chez moi; j'attends à tout moment son coup de sonnette; je crois entendre sa voix triomphante, lourde des révélations qu'il veut me faire à tout prix. Je me sens assiégé. Mes propres murs vont tomber. Oui, c'est bien cela, je suis emporté dans sa ronde.

J'ai honte d'avouer mon état à Célestine. Elle ne s'aperçoit de rien, pendant que la musique, mesure après mesure, avec des odeurs de miel chaud glisse et monte, une nouvelle fois, entre les lattes bien cirées du parquet.

*

J'en suis arrivé à rester cloîtré trois journées entières. Célestine a fini par s'étonner de cette situation inhabituelle. J'ai prétendu avoir obtenu un congé exceptionnel du Centre médical qui m'emploie. Dans quel but ? Pour réfléchir à ma thèse, voyons. Célestine balance entre l'incrédulité et la satisfaction. Pendant que tous les rythmes mondiaux défilent sous nos pieds, elle a parfois des mouvements d'impatience ou de lassitude. Curieusement, comme malgré moi, comme pour mieux la convaincre de mes intentions ou comme si j'étais passé à l'ennemi – je ne saurais dire laquelle de ces trois hypothèses est la plus juste – je m'entends lui lancer :

— Mais c'est mon sujet d'étude. Je travaille *in situ*, comme un archéologue, que demander de mieux ?

Nous n'en restons pas là ; le soir, comme si nous n'avions plus rien d'autre à faire, nous nous interrogeons : que fait un homme qui écoute, seul, et sans fin, de la musique de danse ? Reste-t-il immobile sur une chaise ? Lit-il un journal ? Mange-t-il ? Rêve-t-il ? Boit-il un verre ? Il bouge une épaule, un pied ? Il se gratte ? Il passe sa main sur les poils de son bras ? Au fond, que fait un homme ? Et que fait notre voisin ?

Me voici non seulement assiégé mais hanté par lui, qui devrait ne m'être rien. Je me couche sur le parquet, l'oreille collée au bois, pour mieux savoir : il me semble percevoir le bruit de talons sur le sol, de pieds en mouvement. Danse-t-il ? Il danserait seul ? Notre voisin danse des heures entières ?

*

Je crois que Célestine me rejoint petit à petit dans la drôle de ronde. Il lui prend de me parler de LUI. Sans prévenir. La conversation, pour une fois, roule sur un tout autre sujet ; mais sa pensée est indifférente à nos propos, lointaine ; elle surgit soudain de son eau profonde et jette la panique dans nos phrases, comme un plongeur qui émerge au milieu de simples baigneurs.

— Il a dû être danseur mondain, murmure la rêveuse.

Il aurait fait valser du beau monde… des dames de la haute…

— En attendant, dis-je, il est au plus bas.

— Mais il danse encore. Un bon danseur, où qu'il soit, doit se sentir supérieur.

— Je le vois plutôt s'agiter comme un vieux singe derrière ses barreaux.

— Oui, mais comme un singe qui se sent supérieur. Un homme. Ça ferait un bon chapitre de ta thèse, non ?

Ils sont deux maintenant à me croire attelé à ce savant travail, à m'entourer de leurs conseils. Et nous sommes deux à avoir, plus que de raison, l'esprit occupé de notre voisin.

Trois jours sans sortir de chez moi. Et pour qui ? Et pourquoi ?

V

J'ai justifié à grand-peine mes absences au Centre Médical des Marins. Non qu'on ait eu besoin de moi – les bateaux sont rares, ces jours-ci, dans le port du Havre, et les dockers en grève – mais j'ai le devoir d'être à mon poste. Je ne suis pas seulement médecin, mais fonctionnaire. Médecin au mois, chargé de la santé des marins de partout, en escale, en bordée. Une clientèle volatile, ces matelots de tous horizons. Il me semble qu'ils sont tous pareils ; pourtant je n'ai jamais vu deux fois le même. Chaque jour, en temps ordinaire, une trentaine de bâtiments se vident, se remplissent. J'étonne parfois mes confrères de la médecine de ville, si je prétends m'occuper de gigantesques tubes digestifs. Ma spécialité au fond, avec les maladies tropicales. Les bateaux déversent leur trop-plein, ingurgitent une nouvelle cargaison. Il suffit de quelques heures, une journée au plus. Le temps d'un cycle digestif. Les matelots ont quartier libre parfois ; ils ont mal au ventre aussi, ils ont leur dysenterie, leur crise de paludisme.

Je vois venir au *Seamen Medical Center* – nom officiel de cet établissement à vocation internationale – des équipages achetés à bas prix, revendus cassés ; devant moi, l'esclavage des marins de toute l'Asie. Ils défilent. En groupe, souvent : j'ai du mal à les convaincre de passer un par un dans mon cabinet ; ils attendent un diagnostic d'ensemble ; l'habitude de vivre en équipage ; ils sont tous dans le même bateau, ils souffrent des mêmes maux. Huit Philippins, le mois dernier, huit intestins décomposés.

— *Bad food*, répétaient-ils en chœur.

D'autres fois, voilà les marins d'Europe de l'Est, un grand Polonais avec un mal de tête :

— *Headache* ! *Headache* ! criait-il.

C'est tout ce que j'ai pu lui arracher, j'ai répété *headache* avec lui ; nous hurlions ensemble : *headache*. Il est reparti content : j'avais attrapé sa migraine.

Je hais les matelots, ils me rendent malade. Je perds avec eux mon savoir inutile. Parler avec eux ? La déroute. Nous communiquons en anglais. Voilà la vie : j'ai aimé, dans ma jeunesse, entendre et déclamer dans le texte Shakespeare ou William Blake ; les rondeurs, les rythmes, le roulis de l'anglais… ses échos, ses ressacs pour une oreille de jeune homme… Aujourd'hui, j'entends à longueur de consultation un parler charabiaisé, sabir, baragouinardé, ragougnassé.

Malheureuse langue en expansion, victorieuse et martyrisée. Bientôt universelle et dépecée.

— *Seaman* ?

— *Si… yes, man* !

— *Ship* ?

— *Paquito. Quickly. Half day here.*

Phrases brutes, brusques, gestes bègues. Que faire des mots de la science, quand les mots de la douleur sont incompréhensibles ? Les lointains, aujourd'hui, me sont devenus trop lointains. J'étais si fier, naguère, jeune médecin, d'avoir affaire à des aventuriers, j'aimais leurs voyages et, si un bavard plus doué se laissait aller, leurs récits au long cours. Mes visiteurs portaient sur eux le parfum de leurs cargaisons, gras, sec, végétal, minéral. L'odeur métallique et rouillée, déposée sur chacun, cette poudre de conteneurs uniformes, désormais me dégoûtent. En finir avec les douleurs cervicales, vertébrales, inguinales de tous les équipages. Plutôt mon voisin, ai-je pensé, accoudé à mon bureau du Centre, après ces trois jours d'enfermement, plutôt mon tout petit voisin, dans son sous-sol, apeuré par l'ébauche d'un horizon, incarcéré sous mon plancher – et qui danse !

J'ai renvoyé sur leur navire libérien, retenu à quai depuis trois jours, deux bougres malades d'ennui, merci bien, la houle vous guérira, je rentre au port.

*

J'aborde les premiers immeubles de mon boulevard, vite, un mouvement tournant pour passer au large d'un lampadaire, les manœuvres d'approche, le goulet d'étranglement, je me glisse en silence entre deux voitures. Tenez-vous bien, mon voisin, j'arrive.

Il m'attendait, allait, venait, d'un pas de flamant rose, virevoltait, consultait sa montre. Un glissé pour éviter un passant ; la hanche tourne ; les reins se creusent.

Un vrai danseur mondain, ai-je pensé, comme pris d'une admiration ou d'une tendresse imprévues.

Je l'ai trouvé changé, le cheveu plus long, lissé vers l'arrière, la barbe plus courte, plus grise, piquante.

Un rat qui danse dans une cage, ai-je ajouté, pour atténuer les effets de la sympathie.

Il m'aborde :

— Vous avez pris votre temps... Je ne vous vois plus... Et votre travail ? Les bals ? J'y tiens, moi, à votre travail... Je veille, je veillerai... (Il rit) Je ne suis pas votre mère, mais enfin, un monsieur comme vous, on le bichonne...

— Je poursuivais mes recherches en bibliothèque...

Ce second mensonge le contente un moment, et me fait frissonner. Quelle force me contraint à poursuivre cette fantaisie, à abuser ce naïf, à me donner des devoirs vis-à-vis de lui ?

— En bibliothèque ! C'est très bien, mais je suis sûr que vous ne trouverez pas tout dans vos bibliothèques. La danse, ça me connaît comme personne. Je vous le dis entre nous, mais ce que j'ai pu en faire, dans toute ma vie, tu n'imaginerais pas... même si je te racontais... non, tu n'imaginerais pas... Enfin, ce n'est pas pour ça que je vous attendais... C'est que je cogite sur votre affaire, en ce moment. Tiens, est-ce que vous avez un chapitre sur les vêtements ? Non ? Il n'est pas prévu ? Il faudrait me montrer vos chapitres, que je vous dise. Parce que le vêtement, dans la vie, c'est la moitié de la vie, et dans la danse, c'est la moitié de la danse. Vous ne me croyez pas ? Regardez-moi... (Il ouvre un pardessus miteux sur un costume croisé gris argenté, tout neuf, que j'aurais trouvé tape-à-l'œil à tout autre moment : ma bouche et mes yeux font ici trois gros ronds appliqués, perplexes, stupides ; drôle de bonhomme ; il a déjà refermé son pardessus.) Si tu danses avec une cravate, tu ne danses pas pareil que sans cravate. Avec un collant ou un pantalon flottant, tu n'avances pas du même pas sur la piste. Avec une robe longue ou une robe courte, tu fais le château ou la guinguette. Attention, grande différence, si vous n'écrivez pas ça dans votre étude, ça ne vaudra pas un clou. Si tu as un pagne autour des reins, léger sur les jambes, tu inventes les rythmes du tam-tam ; si tu as les jupons, la robe à panier, les dentelles et tout le tintouin en triple épaisseur, tu seras obligé de faire du menuet...

— Vous voulez dire que l'habit fait le danseur, dis-je de mon air le plus docte.

— Ah ! ça, c'est trouvé, reprend-il. Alors, c'est entendu pour ce chapitre ?

— Il me faudrait une documentation plus précise...

— Je m'en charge. Et puis pour les cinquante dernières années, utilisez-moi, n'hésitez pas, introduisez-moi comme témoin de première main. Je vous en dirai ! Vous me citerez dans votre livre, pas ? Vous me citerez.

— C'est ce que vous attendez de moi depuis l'autre jour, ou je me trompe ?

— Non, non, ou plutôt si, mais vous verrez, j'ai

d'autres idées, nous en reparlerons. C'est une chance, vraiment, que je sois tombé sur un type comme vous, qui connaît l'histoire, la technique… C'est ce que je me répète tous les jours… Nous ferons du bon travail, je vous en donne ma parole.

Ce NOUS glissé sous mon pied achève de me renverser ; quelques pas hésitants me conduisent, comme un valseur débutant, jusqu'à la grande porte de NOTRE immeuble ; mon voisin m'adresse un signe amical de la main et se jette dans l'ouverture de son portillon. Les deux battants claquent ensemble, l'un grave et tranchant, l'autre menu : une clochette qui vibre, aiguë, aiguë, longtemps, longtemps, à distance, dans mes oreilles.

VI

— J'ai trouvé une phrase pour ta thèse sur la danse ! a crié Célestine, un soir où je rentrais du Centre, encore assourdi par mon bilinguisme professionnel. Une citation ! De quoi méditer ! La matière d'un chapitre entier, peut-être même un axe essentiel !

Célestine enseigne la philosophie au lycée et pratique, d'une manière qui me déconcerte parfois, l'art de la dialectique appliquée à la vie banale.

J'essaie de me défendre : je ne suis pas certain de vouloir écrire une thèse sur la danse. Dois-je répéter jusqu'à la fin des temps que j'ai seulement et bêtement inventé ce pieux mensonge pour me débarrasser d'un gêneur ?

— Un PIEUX mensonge, comme tu dis, ce n'est pas un mensonge comme les autres, c'est le début d'une vérité cachée.

Voilà, elle m'estomaque. Elle n'écoute pas mes protestations, ne lâche plus son raisonnement. Mon lot quotidien. Aujourd'hui, elle me réclame mon œuvre, elle ne veut pas en démordre.

— Je n'en ai pas encore écrit la première phrase.

— Je te la donne, ta première phrase : une citation ! Tu n'as plus qu'à trouver la deuxième.

Je proteste plus fort. Je n'ai aucune intention d'écrire la moindre deuxième, la plus infime troisième phrase ! Je m'emballe : et encore moins une quatrième ou une cinquième !

— Un dernier petit effort, Géo, tu arrives bientôt à la sixième. Tu vois comme c'est simple !

Je renonce à toute discussion. Finissons-en avec cette citation.

— C'est de Pascal.

— Blaise Pascal ?

— Oui, Docteur, Blaise Pascal.

— Ce que je connais de ce garçon ne m'incite pas à imaginer une seconde qu'il ait compris quoi que ce soit à la danse.

— Tu te trompes. Écoute plutôt : « La danse, il faut bien penser où l'on mettra ses pieds. »

— Et puis ?

— Comment et puis ? « Il faut bien penser. » « Bien penser. » Tu peux montrer à partir de là que la danse n'est pas un simple amusement ou un sport virtuose : c'est de la pensée en action. À tout moment, la pensée doit diriger les pas, les organiser. C'est quelque chose, non ?

— Va tenir un discours pareil à notre voisin. Et surtout à tous ces gens qui dansent le samedi soir. Tout ce qu'ils détestent, c'est penser.

— Mais leur corps pense malgré eux. Le corps du plus bête d'entre eux pense en dansant. Notre monsieur Émile aime danser et penser en même temps, j'en suis sûre. Parlez-en à votre prochaine rencontre. Je suis curieuse de savoir ce qu'il te répondra.

— Pour ce qui est de penser, il pense. Et depuis que je lui ai lancé comme un os ma stupide idée de thèse, il ne fait même que penser. Il a des théories sur tout, y compris sur les costumes de bal.

— Tu vois bien.

Je vais me coucher. Je ne supporte plus mes deux jambes, lourdes, si lourdes, de pensée. Dans ma somnolence, une taupe croise Pascal, ils sont aussi gris l'un que l'autre, ils bavardent. « La danse, il faut bien penser où l'on mettra ses pieds. »

Je ne sais pas où j'ai mis les miens.

VII

Avec le temps, la débauche de musique produit sur nous un effet hypnotique saisissant ; je m'efforce, comme médecin, d'observer la progression du phénomène, je n'y parviens pas tout à fait. Ces derniers jours, son emprise a dépassé notre entendement ; nous restons démunis, sans colère, sans réaction.

Six journées accrochées les unes aux autres : le train des journées, un vrai train d'autrefois, ronronnant, routinier, tendu sur son roulis. Mon voisin ressasse ses tempos, déverse sous mes pieds de doux grondements d'essieux : à peine une pause, pauvre insomniaque. La vie d'un homme ne se voit pas, elle s'entend. Je suis le rythme de cet homme-là, je suis son cœur, son pouls, imprégné de sa musique comme d'une odeur.

Une partie du jour me trouve au *Medical Center* : le bourdonnement de ces accords répétitifs ne me quitte pas pour autant, comme, au sortir d'un long voyage ferroviaire, le tic-tac métallique des roues sur les rails résonne encore, des heures et des nuits, dans la tête du voyageur.

Ma manière de m'exprimer même en est modifiée, modulée, alanguie : les marins m'assènent leurs bobos laconiques, je les enveloppe de litanies analgésiques ; ils me quittent plus apaisés qu'à l'ordinaire. Je retrouve chaque soir nos modulations entêtantes et Célestine dans le même état que moi : elle a bercé ses Terminales au son de Malebranche et Descartes. Six journées.

Le septième jour, patatras. Ça change, ça tonne, ça tourne, et bing, où sont les mélodies onctueuses ? Et bong, ça pioche, ça cogne, swing, swing, tremblent les vitres, vibrent les murs.

— De la musique à coups de marteau, me dit Célestine, comme sortie de sa torpeur.

Je ne veux pas être en reste :

— La trompette de Jéricho ! C'est la fin ! Il nous en aura fait voir. Ce n'est plus de la musique. Il creuse des galeries ! Il veut saper notre appartement, nous faire tomber de notre entresol.

Alerte ! Je suis le premier dehors, sur le trottoir, tiré de ma léthargie des jours précédents, bien décidé à en découdre, à dire ces vérités que j'ai tues depuis trop de semaines, à régler son compte à mon cher voisin, ce voisin trop parfait, cette incarnation du voisinage, autant dire de la malfaisance. Célestine m'a rejoint et s'inquiète : mes colères sont aussi rares que violentes. Elle m'apaise d'une caresse délicate sur le bras, semblable à ce geste habituel dont je gratifie mes malades les plus agités, avant de prendre leur tension artérielle. Elle me montre le portillon, ouvert sur ses deux marches bancales et blanchies de poussière ; plus loin, dans l'étroit couloir ainsi dégagé en contrebas, et serrés contre le mur, un vieux matelas, les ressorts d'un sommier, une petite table de formica, puis deux hommes en bleu de travail, armés de pics et de masses, sortis à l'instant de la fameuse pièce en sous-sol où loge notre voisin, pièce dont il ne nous a jamais été donné, jusqu'ici, d'apercevoir la perspective. La figure de M. Émile, enfin, la barbe mal taillée cette fois, le cheveu plat, s'élève de ce trou obscur et hume le soleil de novembre. Il sourit, sans nous voir, de ce sourire béat et aveugle des danseurs sur la piste, et rentre dans l'ombre. Les deux hommes, munis de nouveaux outils se sont glissés dans l'appartement. Le martèlement reprend, égal longtemps, plus vif soudain, et refréné.

Nous nous retirons sans ajouter un mot. M. Émile fait sans doute ce qu'il est convenu d'appeler de menus travaux. Depuis combien d'années vit-il sous terre ? Dix ou quinze ans, dis-je à Célestine, le temps d'une dégradation insensible.

Pas un bruit, pas un son, ce soir-là, chez notre voisin ; son chantier bouleverse ses usages ; nous retrouvons nos esprits ; nous allions même l'oublier enfin, ce voisin si accaparant, quand il s'est rappelé à nous par un manège aussi troublant que silencieux : son dos voûté nous apparaissait par la fenêtre, sous le réverbère – aller puis retour. Je voyais Célestine, faussement penchée sur ses préparations, le surveiller du coin de l'œil.

Je me tenais dans un angle discret, aux aguets et rageant de ne pas distinguer ce qu'il transportait à chaque fois jusqu'à la poubelle. Il profitait de ses travaux pour faire disparaître des objets de petite taille, nombreux, enfermés dans des sacs qu'il jetait deux à deux.

Le va-et-vient a pris fin, nous avons attendu une demi-heure : sans nous être donné le mot, Célestine et moi sommes sortis de notre immeuble avec l'air dégagé de deux promeneurs ; trois bonds nous ont menés à la poubelle ; le couvercle ; les sacs : des paires de chaussures basses, noires, pointues, râpées, usées, béantes, dessemelées pour quelques-unes, écorchées. Vingt paires, vingt-cinq, trente peut-être, nous ne comptons plus. C'est la reine d'Angleterre ! Un monomaniaque du vernis ! Des passants glissent sur nous des regards mi-inquiets, mi-condescendants.

— Prends-en une, dis-je à Célestine, nous l'examinerons au calme.

Dans notre cuisine, nous disséquons le mocassin de taille quarante et un. Cuir ancien et véritable, même si les autres indications, détrempées par des années de sueur, nous échappent.

— On dirait des chaussures de danseur de tango, dit Célestine.

— Et il en avait des dizaines de paires du même genre. Il ne nous ment pas quand il prétend avoir été un fameux danseur. C'était peut-être un professionnel.

Nous avançons dans la connaissance de notre voisin. Nous nous regardons par-dessus cette godasse et un sentiment de respect nous saisit.

— Tu devrais le questionner, pour en savoir plus, dit Célestine.

— Je ne peux tout de même pas lui avouer que je fouille ses ordures.

*

Après le gros œuvre, les peintures ou ce que nous pouvons en voir. Et ce que j'ai vu m'a laissé pantois. Ses deux fenêtres, pour une fois – peinture fraîche, j'imagine – étaient restées entrebâillées, et, oui, j'ai vu, j'ai vu. Ce petit homme pâlot, vêtu le plus souvent de gris ou de noir, avec du poil grisonnant dans les oreilles, cet homme souriant et triste a badigeonné les montants extérieurs de sa première fenêtre d'un vert vif ; l'intérieur est jaune citron. La seconde fenêtre est enduite de bleu ciel d'un côté, de mauve de l'autre ; le tout laqué, éclatant. Il a jeté les chaussures noires et mélangé toutes les couleurs. Je note au passage que les rideaux eux-mêmes ont l'apparence du neuf : un courant d'air inhabituel fait flotter leur rouge satiné. Que dissimulent-ils encore ? Quelle débauche de tons criards ? Quelle lubie deM. Émile ?

Je m'étais cru jusqu'ici à l'abri des vulgaires curiosités de voisinage, je me découvre plus intrigué que jamais, plus désireux de savoir. Tout savoir.

VIII

Depuis que je me suis senti comme enveloppé par cette obsession – tout savoir de mon voisin – j'ai cherché appui auprès de Célestine. Force est de constater qu'elle ne me sera d'aucun secours : elle est décidément touchée du même mal que moi. Elle épie, elle analyse, sans toutefois paraître en souffrir autant que moi. Pas trace de mauvaise conscience chez elle.

Je moralise :

— Notre attitude est mesquine, nous fouillons la vie sans intérêt d'un pauvre bougre, nous nous abaissons chaque jour davantage.

— Socrate ne faisait pas autre chose, me répond Célestine. Il essayait d'accoucher chacun de ce qu'il avait de plus profond en lui.

Je la taxe de mauvaise foi. Nous comparer à Socrate ! Dans notre appartement ! Son aisance à justifier ses propres faiblesses me semble bien peu socratique.

Elle reprend :

— Comment peux-tu être si honteux d'examiner l'intimité d'un homme, toi, le petit médecin, l'omnipraticien, qui te penches jour après jour sur les mauvais vents des marins, leurs amibes, leurs glaires… Que fais-tu de plus indigne ici ?

— C'est justement ce que je ne supporte plus chez les malades : leur intimité nauséabonde, je la connais par cœur.

— N'est-ce pas un progrès alors de te pencher sur une intimité en bonne santé, et si mystérieuse ?

Décidément, ma philosophe pratique trop son Platon pour que je puisse lutter sur un même pied. Je me contenterai désormais de ne pas flatter notre penchant commun.

*

— As-tu remarqué que M. Émile va chaque jour à la station-service du boulevard ? me demande Célestine un soir.

Je ne souhaite pas répondre.

— Dans quel but, selon toi ?... Pour acheter une bouteille de vin.

Je sursaute :

— Eh bien, moi, presque chaque matin, je le vois jeter une bouteille de vin à la poubelle, du vin de pays à douze francs, chaque matin !

Entre ce soir et ce matin, dans cet entre-deux qui nous échappe, l'entre-deux qui est la vie de cet homme, que se passe-t-il ?

Nous nous regardons atterrés, comme s'il s'agissait d'une révélation importante :

— On dirait que, la nuit, il boit.

*

Une autre fois, Célestine me fait de grands signes derrière les vitres. C'est encore un soir, je rentre du Centre médical après avoir fait hospitaliser trois marins polonais : grave intoxication alimentaire, urgence. Je n'ai pas pu découvrir ce qu'ils avaient mangé. Toute une histoire pour les faire admettre à l'hôpital Monod. Je me sens écrasé, les doigts gourds des premiers froids... et Célestine qui me fait ces grands signes derrière les vitres. Je ne saisis pas son intention, elle ouvre la fenêtre : là ! là ! regarde ! Et elle referme, se glisse derrière le rideau. Je me retourne : Eh bien ? Qui ? Mon voisin ? Encore lui ? Toujours là ? Non, pas de complaisance, je renie ce que j'ai pu dire ou écrire sur lui, qu'il me laisse en paix, que je l'oublie, soyons de vrais bons voisins de notre temps, indifférents l'un à l'autre, distants, insensibles, étrangers... Tiens, il n'est pas seul? Pour la première fois, je le vois en compagnie. Je m'en moque. Qu'il déguerpisse avec qui bon lui semble... En compagnie féminine? Je n'aurais pas cru... Et pourquoi donc? Voilà un homme seul en compagnie féminine, qui irait s'en étonner, qui en ferait une histoire? Ouvre ta porte, Géo, pousse-la, elle est si lourde à ton épaule; songe à ta journée, à tes trois pauvres Polonais sur leurs lits de souffrance – il faudra, tout à l'heure, téléphoner à l'hôpital, pour connaître les premiers résultats d'analyse: ta conscience professionnelle avant tout... En double compagnie féminine! Deux femmes, la quarantaine, petites, rondes, blondes, pimpantes dans leurs imperméables cirés, noir étincelant pour l'une, orange pour l'autre, entourent M. Émile. Elles virevoltent, caquettent: il ne sait plus où donner de la tête. Je lui vois l'air radieux.

Elles lui font traverser le boulevard, l'enlèvent, l'embarquent. Il monte dans une petite voiture, une voiture rouge, rouge comme ses rideaux. Il s'installe à l'arrière, les deux rondelettes, vives, à l'avant, et l'auto manœuvre, brusque... un court virage... elle se redresse... deux tours de roues... un arrêt, et pfuit. Où disparaît mon voisin?

— Tu as vu? Tu as vu?

Nous nous étonnons ensemble des bouleversements récents dans la vie de M. Émile. Comme si, à un âge déjà mûr, il jetait sa gourme. Nous formulons des hypothèses: il a répondu à une annonce dans les journaux, ou mieux: il s'est proposé lui-même à une agence spécialisée dans les rencontres. Mais pourquoi deux femmes? L'une chaperonne l'autre pour la première entrevue? Pour la garder du loup? Nous imaginons sa proposition, ainsi rédigée, dans un journal local: « Homme, cinquantaine, enc. bien de sa pers., souh. renc. dame exp. en toutes danses (valse, rumba, tango, etc.)... » Oui, à coup sûr, il les emmène danser... Nous rêvons à sa vie sentimentale : a-t-il été aimé, marié ?

Il est trop tard pour obtenir le bulletin de santé de mes trois Polonais. Je vais devoir me résoudre à ruminer ma propre maladie incurable, cette curiosité sans frein pour un danseur de petites annonces, ce besoin de deviner les secrets d'un Gatsby peu magnifique.

IX

Mon vice prend des proportions inquiétantes : il me faut révéler ici un petit épisode guère à mon honneur. Je ne suis pas responsable de ce qui s'est passé, j'ai simplement et odieusement profité d'un naïf de passage et de l'enchaînement de certaines circonstances.

Comment tout cela a-t-il débuté, ce matin-là ? Par un coup de sonnette indécis. On appuie sur le bouton, en retenant au dernier moment son doigt, on espère que personne n'entendra, mais on a appuyé. Le timide auquel j'ai ouvert ma porte était une sorte de géant en bleu de travail. Une sacoche de cuir pesait sur son épaule gauche. Il se grattait la tête de la main droite, d'un geste emprunté :

— C'est pas vous, le monsieur ?

Je passe sur quelques autres phrases confuses au terme desquelles toutefois j'ai pu déterminer la profession du gaillard : serrurier. Il apparaissait qu'il venait dépanner le fameux monsieur que je n'étais pas. Un homme avait claqué sa porte derrière lui, laissant la clé à l'intérieur. Un cas d'école, une opération enfantine ; le plus difficile, semble-t-il, était de mettre la main sur celui qui avait fait appel à lui et qui, contrairement aux malheureux dans sa situation, n'arpentait pas le trottoir avec une impatience irritée et légitime. L'inanité de sa question, qui ne devait tout de même pas lui échapper totalement, restait cependant flagrante, car comment lui aurais-je ouvert ma porte, si je m'étais trouvé dans la nécessité de l'appeler ? Passons. Dans l'intervalle, il m'est rapidement venu à l'esprit que cet honnête serrurier, un peu benêt, s'était trompé de PORTE D'ENTRÉE : il avait naturellement pénétré dans l'immeuble par la grande porte, sans imaginer une seconde que le sinistré pouvait l'attendre du côté de la porte de service. Je me suis proposé, avec ma coutumière bienveillance, de réparer cette erreur.

J'accompagne l'ouvrier jusqu'au portillon, lui recommande, comme un guide dans un château, de se courber pour le franchir, ce qui lui coûte beaucoup. Nous ne trouvons personne. J'appelle. Rien. Le géant est désemparé et se gratte le front de plus belle. Je veux le sortir de ce mauvais pas :

— Selon moi, l'homme qui vous a appelé n'est pas encore revenu de la cabine téléphonique. Je le connais bien, c'est mon voisin, un garçon distrait. Il ne m'étonne pas qu'il se soit enfermé dehors. Je dirais même que c'est un geste caractéristique de mon voisin. Avait-il la voix brumeuse ?

— Vous savez, au téléphone...

— Une voix un peu couverte ?

— Dit comme ça, oui, c'est vrai...

— C'est lui, j'en suis sûr et voici sa porte.

Le serrurier tourne sa masse vers le morceau de bois, fraîchement repeint en violet, que je lui désigne en tambourinant légèrement de l'index. Pas de musique, pas de réponse. M. Émile s'est absenté. Mon assurance finit par convaincre mon crocheteur miraculeux. Une dernière réserve :

— Tout de même, je sais pas si je peux, tant qu'il est pas là.

— Je prends tout sous mon bonnet, dis-je, c'est mon voisin, un ami, il sera ravi de voir le travail achevé à son retour.

— Dit comme ça, alors...

Je lance mon géant à l'assaut de l'Olympe, cette pièce inaccessible et bariolée dont je ne connais que la porte et les fenêtres. À l'attaque! Armes à la main! Flèches et lances! Tournevis et perceuse! Et triture la serrure! Et perce le bois! Ah! la sciure fait une traînée jaune sur le violet qui brille. Et crochète! Et tire sur le loquet! Encore une fois, avec des doigts de fée! Et pousse de l'épaule! Et secoue cette maudite planche qui résiste! Et perce un autre trou plus haut! Plus bas! Creuse, pince, attrape, arrache!...

— Je me demande si, tout de même, le verrou n'est pas fermé, en plus... La porte a pas été simplement claquée, c'est pas logique...

Il ne faut pas que le doute le gagne. Je bouscule mon lutteur, je l'excite de la voix. À la bagarre! Que le verrou saute aussi! Que la perceuse gronde et foudroie! Brise le fer et le bois! Lance des flammes! Que tout étincelle! Feu! Feu! Ruine et victoire!

— Et voilà le travail, dit l'innocent, en même temps que la porte cède et s'entrouvre. Mais le monsieur est toujours pas arrivé... Qui va me régler?

— Je m'en charge, dis-je, pressé de le voir disparaître et d'entrer seul, plein d'espérance, dans le petit enfer de mon voisin souterrain.

Le serrurier tient encore à reboucher les derniers trous. Surgit alors le gêneur. Descendu de son quatrième étage sous les toits, un locataire interpelle le bon géant:

— Vous arrivez seulement maintenant? Voilà une heure que je vous ai appelé et que je me gèle dans l'escalier...

— C'est que je ne savais pas où vous trouver...

— J'avais pourtant bien dit l'escalier de service.

— J'ai mal compris alors... et puis le monsieur m'a dit...

— Oui, mais moi, j'attends.

Ah! mon voisin des chambres de bonne, encore un que je ne connais guère, que j'ai croisé quelquefois, un garçon jeune et arrogant, un peu artiste aussi, toujours armé de son carton à dessins, sûr de son talent, persuadé de côtoyer, dans cet immeuble à l'ancienne, des béotiens embourgeoisés ; mais timoré aussi : il fait mine de ne pas me voir, pas me connaître, si je le rencontre, vendant sur une place des portraits à dix francs, des crayonnages pour gogos, son petit gagne-pain, j'imagine, pendant qu'il mûrit sous notre toit une œuvre magistrale. Pour le moment, il peste et le géant, une nouvelle fois décontenancé, se gratte le crâne. Je lui glisse un billet et une pièce supplémentaire, et le pousse vers les étages supérieurs d'une tape joviale sur l'épaule.

— Faites votre travail là-haut : payé deux fois pour un seul déplacement, vous êtes gagnant. J'arrangerai tout avec le monsieur d'en bas.

Me voici recueilli devant la porte violette, personne en vue, je m'apprête à pénétrer dans le sanctuaire.

C'est une pièce unique, longue, mais étroite. Je ne distingue, dans la semi-obscurité, qu'un vide ; tout le mobilier, comme projeté par un souffle, a été plaqué aux murs : trois chaises en enfilade sous les fenêtres, une tablette, dans le coin gauche, prolongée par un petit lit ; seuls points brillants, à chaque bout de cette chambre, face-à-face à mi-hauteur, deux postes de télévision – deux ! Il me faudrait éclairer cette nuit sans me trahir ; je tire, oh ! à peine, un rideau rouge et c'est le tintamarre des couleurs, l'orange hurle sur le bleu outremer, le vert jure avec le brun, tout crie, tout beugle. Même les lattes du parquet ont reçu une couche de rose vibrant ; une légère pression supplémentaire sur le rideau me permet d'apercevoir le centre de la pièce, d'en comprendre l'ordonnancement : du parquet ne subsiste vierge qu'un large cercle, autour duquel, du sol au plafond, se juxtaposent de joyeux pans de couleur ; différentes lampes, plutôt des spots colorés, sont soigneusement orientées vers cet espace central, où, comme attirés malgré eux, mes pas me portent. Je tourne sur moi-même, recule un instant, repars vers l'avant. Mon voisin, me dis-je, a conçu et reconstitué, pour son usage personnel, une piste de danse miniature. Sa dansomanie, que je pressentais, dépasse toute imagination, c'est un malade, un furieux. S'il me trouve sur sa piste, je vais valser, filons.

Je pivote sur moi-même, je vais atteindre la porte, quand je heurte, soigneusement rangés comme des chaussons, des souliers bien astiqués : une paire semblable à toutes celles qu'il a jetées, mais neuve. Il me vient l'envie de les chausser ; j'ai le pied trop grand.

À côté, une pile de papiers, je feuillette : des partitions des années cinquante. Et dans ce coin au-dessus de la table ? Quatre affiches jaunies, annonçant des spectacles de flamenco, avec danseuses coloriées en rouge, dans les bras de sveltes partenaires bien cambrés. Je scrute les recoins de ce musée minuscule. Création de mon voisin, ai-je pensé, de mon si triste voisin. On dirait une chambre mortuaire consacrée à la gaieté.

Je m'aventure vers d'autres secrets, je soulève des coussins sur le lit, j'ouvre un tiroir. Et s'il entrait à cet instant ? Ne suis-je pas ici par effraction ? Va-t'en, Géo, ne te laisse pas prendre à cette folie, reviens à la vie, remonte au jour. Non, encore un moment, regarde par la fenêtre, tu ne le vois pas ? Profite de ce répit, admire ces enceintes acoustiques trop grandes pour le volume de la pièce, si grandes qu'elles résonnent chaque jour, là-haut, au pays des vivants, jusqu'au fond de ton propre cerveau.

Et ces photos, dans cette boîte ? Ces photos, n'y touche pas, ça ne se fait pas. Des photos en noir et blanc ; des jeunes gens avec des instruments de musique, des filles en jupe courte, qui tournent, qui volent, qui dansent. Je cherche, au milieu de ces visages frais, aux cheveux courts et lissés, celui qui me rappellerait mon voisin. Rien qui annonce les traits creusés d'aujourd'hui. Le maigre agile sur la droite ? Pas le même nez. Imaginons M. Émile glabre et droit : ce contrebassiste souriant et déchaîné sur ce carré de papier dentelé ? Non. Une indication au dos ? 62. Il ne ressemble à aucun et tous auraient pu vieillir comme lui.

Je referme la boîte. Voyons plus loin, un bout de pièce à part, une sorte de cuisine (elle jouxte probablement ma cave). Une bouteille de vin presque vide : je renifle sa boisson quotidienne, un piccolo violet et âpre, comme je pouvais m'y attendre.

Je repasse dans la pièce principale, quatre pas me mènent à un tas de vêtements, à côté de la dernière chaise sous une fenêtre ; je les écarte du pied : ils couvraient un dossier dont dépassent des images, des photos de magazines ; je regarde de plus près : des pages découpées dans des dictionnaires ou des encyclopédies, montrant des couples en costumes d'époques diverses. Ce doit être la documentation qu'il me promettait l'autre jour. Il a l'intention de me la remettre sous peu ; je serai obligé de faire bonne figure. Le plus simple serait qu'il me trouve maintenant, son dossier entre les mains, j'aurais l'air ébloui, je le remercierais, le féliciterais, le flatterais : il me pardonnerait mon intrusion. Ou il ne me la pardonnerait pas. Vite, le rideau, n'est-ce pas lui, à gauche, botté de noir ? Celui-là s'éloigne. Ce pantalon qui rase la fenêtre, alors, et l'obscurcit une seconde ? C'était une femme.

J'assiste, à travers les barreaux, au défilé des passants, je vois ce que voit, jour après jour, mon voisin, ce qui m'échappe : le dessous des voitures stationnées, les feuilles mortes poussées par le vent à hauteur du regard et qui paraissent démesurées, comme toutes ces jambes articulées, entrant en scène, tantôt par la gauche, tantôt par la droite, selon un rythme sans doute aléatoire, mais dont je ne doute plus, bientôt, qu'il soit réglé, calculé. Deux femmes au pas serré croisent un solitaire aux longues enjambées ; un boiteux accompagne deux pieds traînants ; une démarche guillerette ; un pantalon de bonne qualité bat sur des souliers poussiéreux ; et ce balourd qui marche en canard... C'est le ballet, en scène ! en scène ! Cette petite qui trotte et cet escogriffe débonnaire... Des jambes, des pattes, des guibolles, des gambilles, vêtues, et puis nues aussi, toutes nues !

Passez donc, mesdames et messieurs, arpentez mon trottoir, entre mes fenêtres. Le monde, ici-bas, est fait de jambes en marche, à vous donner le tournis.

Ah, mon voisin, comme je vous comprends soudain ! Et comme je comprends Pascal aussi ! Est-ce que tous ces promeneurs pensent où ils mettent leurs pieds ? S'ils le savaient ! Mon voisin doit être convaincu qu'ils le savent, me dis-je, il les prend pour ses danseurs. Après des années de ce spectacle, comment faire autrement ? Je me sens déjà propriétaire de ces jambes sans corps, j'en ferais ce que je veux, comme un marionnettiste dans son trou.

Cette fois, c'est lui. Je ne l'ai pas vu, je rêvassais, mais j'ai entendu sa voix, sa voix grave et voilée. Il salue une connaissance ; une voix perchée lui répond. Par pitié, engagez la conversation, pour une fois je ne l'écouterai pas, je bannirai toute curiosité déplacée. Une minute de banalités sur le pas de la porte, ce n'est pas trop demander à des hommes, vos douleurs, messieurs, vos petits malheurs, ne vous en privez pas. Je m'échappe par l'escalier, dix marches jusqu'à mon entrée de service. Pas de clé. Du bruit aux étages, des pas pesants, on descend. Mon serrurier. Je ne peux tout de même pas lui demander de me faire entrer chez moi. Vite, en bas ! Tout en bas ! « Bonne journée », dit la voix perchée. « Bonne journée », répond la voix grave. Mon dernier salut : le couloir des caves, sans lumière depuis toujours. Je m'y terre, j'attendrai. Le géant passe dans le cliquetis de sa sacoche. Deux voix se rencontrent, se chevauchent, le ton monte, puis c'est un bourdonnement. Des outils s'entrechoquent, une porte claque, une autre. Je suis resté figé dans l'ombre. Le grand benêt de serrurier m'aura trahi. Je n'oserai plus aborder mon voisin, le regarder en face. Il sera blessé, violent peut-être. Je ne lui donnerai pas tort : en cet instant, j'ai honte de moi.

X

Mon après-midi de consultations s'est achevée. Mon confrère de l'hôpital m'a appris le décès, cette nuit, d'un des marins polonais. Les deux autres semblent tirés d'affaire. Une autopsie a été ordonnée, une enquête ouverte, le bateau interdit de mer, le capitaine convoqué, mon témoignage réclamé.

Médecin de marins! Mon témoignage! Moi qui n'ai pas compris grand-chose aux explications anglo-polonaises de mes trois malades. Pourtant j'avais bien saisi la gravité de la situation, j'ai agi avec la plus grande rapidité, malgré les objections de l'hôpital, déjà débordé, malgré les refus des malades eux-mêmes qui prenaient peur devant les complications à venir. On me rendra responsable des retards, peut-être? Mon diagnostic, très flou, je l'accorde, sera mis en cause.

Me voilà aux assises. Et plutôt deux fois qu'une, si mon voisin dépose une plainte et me reproche d'avoir sciemment fracturé sa porte. Ce que je ne peux pas nier non plus, je passe aux aveux, pardonnez ces instants d'égarement, j'ai des circonstances atténuantes, si on veut bien m'entendre...

Le condamné, après sa journée, marche vers sa cellule, ralentit le pas, regarde une dernière fois le ciel, courage, courage. Il note la présence de deux femmes inoccupées veillant aux fenêtres basses des immeubles qui encadrent le nôtre. Rien de surprenant: des habituées, accoudées, ou plutôt agrippées à leur fenêtre, l'une à toute heure, l'autre en toute saison. Rien de surprenant, mais il ne les a jamais regardées comme aujourd'hui. Celle de gauche, menue, fume une gauloise tordue comme un bec dans sa tête de jeune chouette qui attend la nuit ; l'autre, pur rapace, tout en nez, pointue, agitée, scrute sans cesse un horizon où elle semble ne jamais rien apercevoir. Je ne veux pas m'exposer au salut hostile de ces deux surveillantes appointées. Je baisse les yeux : lui. Ou un autre ? Lui, en personne, mais changé. Changé, mais comment ? Les cheveux, oui, les cheveux, tirés en arrière, attachés en catogan, l'air plus artiste que jamais, frais, rajeuni. Nous sommes restés quelque temps sans nous rencontrer, j'imagine. Le temps d'une métamorphose. Voilà un demi-clochard hirsute que je retrouve propret, un homme au visage mouvant, pitoyable ou avantageux, suivant l'occasion, méconnaissable d'une semaine à l'autre et que je reconnais pourtant, à sa démarche bossue, à ses petits pas comptés, rythmés, roulés, qui se dirigent vers moi.

C'est moi qu'il attendait, moi qu'il voulait voir. Je sais trop bien pourquoi. Qu'il ose me prendre à partie, m'insulter, je ferai front, je dois faire front, je plaiderai la bonne foi, des circonstances fâcheuses.

Il m'aborde, tout animé. Sa voix même est modifiée, plus ferme. Son œil, si flou d'ordinaire, m'attrape, me suit, me serre :

— J'ai deux-trois choses à vous dire…

Un groupe de passants nous oblige à un demi-tour ; il ne m'a pas lâché :

— Oui, deux-trois choses. Vous vous en souvenez peut-être, je vous avais proposé toutes sortes de documents qui pourraient vous aider pour notre chapitre sur les vêtements…

Que répondre à ce « peut-être » ? Il me nargue ? Il m'éprouve ? Il voudrait m'entendre implorer son pardon ?

— Excusez-moi, dis-je, le regard vague, comme un homme confus et qui espère apitoyer le bourreau.

— Ne vous excusez pas, vous n'y pensiez plus, vos recherches vous occupent énormément, n'est-ce pas ? (Ce « n'est-ce pas » me touche en plein plexus solaire.) Vous croyez qu'un petit bonhomme comme moi ne vous sera d'aucune utilité... (Et il sourit d'un air triste : un sacré uppercut, son humble sourire.)

Vous ne me connaissez pas encore... pas assez... c'est tout naturel... nous sommes voisins, bonjour, bonsoir, et c'est très bien comme ça... (Cette insistance sur le « comme ça »...) Mais enfin, entre voisins, il peut y avoir de l'entraide, non ?... (Un landau nous oblige à un nouveau demi-tour.) Chacun chez soi... (Je me tourne vers mes deux oiseaux de mauvais augure toujours perchés à leur fenêtre, j'implore leur aide : fondez sur lui, mes faucons, enlevez-le dans les airs, comme un vulgaire mulot. La dame de gauche jette son mégot et se retire, la dame de droite continue à fixer le vide.) Chacun chez soi, reprend mon voisin, mais il est bon de bavarder de temps à autre, de savoir qu'on existe... Les vêtements pour la danse, c'est une chose ; si vous me dites que ça n'entre pas dans votre plan, je m'incline...

— Ce n'est pas ce que vous croyez, dis-je, rouge, en nage, malgré la saison, et cherchant désespérément une issue.

— Oui, vous me l'avez déjà dit, vous c'est le bal à travers l'histoire, pas seulement à mon époque ; je comprends, vous savez, je comprends et beaucoup mieux que vous ne pourriez croire... (C'est le coup de grâce, je recule d'un pas, il avance de deux. Il va tout me jeter à la figure. La dame au regard vide ferme sa fenêtre.) Je voudrais que vous m'écoutiez encore un peu, si ça n'est pas abuser, poursuit M. Émile. Des idées, j'en ai plein la tête. Un type comme moi, tout seul chez lui, il a dix idées par jour. Vous me direz que ce ne sont que les idées d'un type comme moi. Mais bon, neuf de mauvaises, une de bonne. Tenez, je me faisais cette réflexion, l'autre jour, qu'un bal, c'est le paradis sur terre. Je me disais que, pour moi, autrefois, le bal a été un vrai paradis. Vous n'auriez pas pensé à ça, avec toutes vos bibliothèques ? Moi, je vous dis des choses vécues. Bien sûr, c'est pas moi qui fais une thèse universitaire. Malgré tout, vous pourriez l'écrire aussi, que le bal, c'est un paradis. Un paradis qui tourne rond. D'abord, regardez, un bal, c'est une piste de danse, c'est bien fermé. (« Bien fermé », ouille, prends ça, me dis-je.) On n'y entre que pour danser, sinon on fait cercle autour, on admire, on voit le bonheur des danseurs. Les danseurs ne dansent pas parce qu'ils sont heureux, ils sont heureux parce qu'ils dansent, les danseurs. C'est ça le paradis. C'est ce qui vous rend heureux. Et sur cette terre, qu'est-ce qui vous permet d'être heureux, dans la tristesse de tous les jours ? C'est de trouver un endroit, détaché du reste de la terre, où chacun vient avec la même intention et, pour une fois, fait comme les autres, en même temps que les autres. Vous oubliez l'heure, vous ne sentez plus vos douleurs et puis, vous tournez, vous tournez, on tourne autour de vous, lentement, et vite tout à coup. Le bonheur. Vous avez l'harmonie, l'harmonie de la musique et l'harmonie des figures sur la piste. Je vous parle des vrais bals, des bals d'autrefois, du paradis d'autrefois…

Son regard m'a enfin lâché, vague soudain, sa voix faiblit : il contemple des bienheureux qui tournent sur un parquet bien ciré. Je revois sa petite piste personnelle, son paradis vide. Reprends-toi, Géo, il te promène, la larme à l'œil, il t'amuse, il va te cueillir. Ses envolées ne te disent rien d'autre : je sais que tu sais. Il te fait la leçon. Avec délicatesse ou perversité ? Ou bien se dit-il : je suis heureux, parce que tu sais ?

Il revient à lui, et à moi.

— Vous en penserez ce que vous voudrez, après tout…

Je proteste, il sourit. Je relève la tête, il respire.

— Savez-vous ce qui m'est arrivé ? reprend-il (et mes genoux fléchissent avant ce nouveau coup), j'ai eu soudain envie de reprendre la musique. Voilà des années que je n'avais plus touché un instrument. J'avais jeté ma vieille clarinette aux orties. J'ai acheté un saxo, sax ténor, vous ne m'avez pas encore entendu au-dessus ? Vous m'excuserez pour les gammes ? Je reprends des cours, je me refais les doigts. À mon âge, c'est ankylosé, mais ça revient vite. Dans quelques mois, vous viendrez m'écouter. Et si tout va bien, je referai du bal ! C'est un peu grâce à vous d'ailleurs. (Cette fois, je suis groggy en douceur.) Vous savoir au-dessus de moi, à travailler sur des questions qui me passionnent… Je me suis dit : quelqu'un qui peut me comprendre, que je peux aider… Tout n'est pas mort… Alors, moi aussi, je vais travailler mes doigts, la position des doigts, et mes partitions…

Ses grands travaux, cette éruption de couleurs, son rendez-vous avec des femmes en voiture rouge (singulières créatures d'un jour, réapparaîtraient-elles dans le cours de son existence ?), son catogan dans le vent, son instrument de musique tout neuf, c'est donc moi, me suis-je dit, moi seul, qui ai entraîné de tels bouleversements dans la vie de mon voisin. Pour une malheureuse phrase que j'ai prononcée devant lui. Et pourquoi me guettait-il, ce soir, sinon pour me rendre hommage, le jour même où j'ai démoli sa porte et fouillé sa chambre ? Si je m'attendais…

Quittons-nous. Bons voisins. Chacun dans son coin.

Je gravis, calme et raide, mes quelques marches, comme un saint auréolé de sa gloire. Et K.-O.

XI

J'aurais voulu tenir les propos de mon voisin pour anodins, les oublier puisque, après tout, et malgré mes craintes, il ne semblait pas faire grand cas de l'effraction de sa porte, ni me la reprocher. Un rien m'empêchait de retrouver la tranquillité de l'esprit, un écho dans mon tympan, le rappel de paroles antérieures, une annonce semblable, plus surprenante peut-être, dont je m'étais efforcé d'affaiblir la portée, et qui me revenait plus irritante encore, une incidente de Célestine, trois jours plus tôt :

— Sais-tu, Géo, qu'on m'a parlé d'un cours très intéressant de danse mondaine ?

Je n'avais pas répondu immédiatement, mais ce « on » maintenant m'inquiète. Célestine a-t-elle, sur cette question, des échanges avec notre voisin ?

— Je connais même, avait-elle continué, des gens qui se passionnent pour cela. Bien sûr, si je devais m'inscrire à un tel cours, à cette période de l'année, j'aurais un retard considérable à rattraper…

— Tu n'y songes pas sérieusement ?

— Non, mais si je devais y songer…

Je ne prêtais pas attention à ses habituelles circonvolutions, ce petit jeu propre à nos conversations.

— D'ailleurs, ai-je repris, pour tenter de clore définitivement l'affaire, tu n'as jamais aimé la danse.

— La danse de notre propre jeunesse, c'est vrai, mais la danse mondaine, c'est autre chose. Ce sont des règles, une discipline, une maîtrise du geste, de véritables petits systèmes avec leur logique propre. Le profane doit faire un effort pour en apprécier la finesse, pour en comprendre les ressorts. C'est ce qui m'intéresse, vois-tu ?

Ma chère philosophe, avais-je pensé, toujours prête à bâtir des systèmes qu'elle se délectera demain à détruire avec une incomparable méchanceté. Inutile de s'inquiéter.

J'avais glissé une dernière objection désinvolte. Une soudaine prudence.

— Tu n'as jamais eu l'oreille musicale non plus, alors… la discipline, la maîtrise… sans l'oreille musicale… tu n'iras pas loin… la finesse, les ressorts… sans l'oreille musicale… Qu'as-tu à me répondre cette fois ?

— Nietzsche.

— Nietzsche pratiquait la danse de salon ?

— Qui sait ? Mais écoute plutôt Zarathoustra : « Le danseur n'a-t-il pas l'ouïe dans les orteils ? » Tu entends ? Les orteils ! Alors ton oreille musicale…

Je m'étais contenté de sourire et nous en étions restés là.

C'est cette conversation négligeable qui me revient ce soir, d'autant plus que Célestine s'attarde. Deux heures qu'elle devrait être rentrée.

La voici. Hilare, ravie. Elle a dansé. Son premier cours. Ses premières maladresses. Ses premières audaces. Ses premiers encouragements.

Je reçois ses aveux heureux comme une trahison. Elle danse, mon voisin danse, tout le monde danse, pendant que les marins de la Baltique agonisent dans mes bras.

— Tu ne me croyais pas capable de le faire, dit-elle devant ma tête dépitée, je l'ai bien senti l'autre jour. Alors, tu vois, je l'ai fait. Si tu n'avais pas essayé de me décourager, je n'aurais peut-être pas franchi le pas. D'ailleurs, l'idée elle-même ne me serait jamais venue à l'esprit sans tes suggestions personnelles, tes démêlés avec M. Émile.

Que peut mon voisin ? Je ne soupçonnais pas l'étendue de ses pouvoirs. Il faut se faire une raison : je suis le voisin de mon voisin. Chacun entraîne l'autre dans sa danse.

Célestine se propose de me donner un aperçu de cette première leçon. Non merci. Elle insiste : que partageons-nous depuis que nous nous sommes installés ensemble ? Des misères ! Regarde plutôt ta Célestine ! Enthousiaste ! Science nouvelle : l'art du compte des pas... aussi fort que la théorie des quanta... regarde un peu ! Ce n'est pas encore ça ? Ça viendra ! Et la position promenade ? Et la position contre-promenade ? Qu'est-ce que tu en dis ?

Ce que j'en dis ? Une vraie science, sûrement... mais surtout des jambes ! Oui, des jambes, Célestine a des jambes ! Je les connaissais ses jambes, bien sûr, elles enveloppaient souvent les miennes. Sous les tables, sous les draps. Toujours dessous. Ou alors elles marchaient à côté de moi, trotte-menu... D'un coup, sous mes yeux, elles s'arc-boutent, elles pivotent, elles basculent, fines, si fines, dans leurs bas grisés, comme si je les voyais pour la première fois ; comme si, en une seule soirée, elles s'étaient allongées, affermies, affirmées : elles se croisent, se décroisent, chamboulent tout.

La démonstration finit par étourdir Célestine (et moi donc !)... elle va s'effondrer... reprendre son souffle... Remettre de l'ordre dans sa tenue ? Non, pas la peine, plutôt garder ce débraillé soudain, prolonger cet abandon de quelques instants. Pourtant si, elle prend le temps de renouer son foulard moelleux et finement moucheté, d'un geste familier... familier mais tout neuf. Elle laisse le nœud lâche un moment, pour dégager, de la soie qui l'enserre, la masse bien noire des cheveux, qu'elle abandonne lentement, en souplesse, sur les épaules un moment dénudées. Elle rajuste soudain, d'une main sûre, le tissu au plus près du cou dont les veines palpitent encore.

Elle a repris le mouvement, elle se croit sur la piste, elle s'emporte... regarde bien... un déplacement difficile, crie-t-elle... qu'elle a réussi du premier coup, paraît-il... le tout en une seule séance?... le professeur n'en revenait pas, paraît-il... Et il a vu Célestine dans cet état, ce professeur? Rouge d'une fièvre maligne? Humide de sueur, comme un lutteur antique? Offerte à tous? Et elle se balance toujours, sans musique; les hanches tournent, la tête reste bien droite. Le grand secret, dit-elle, et du premier coup! Une partie du corps chahute, le haut doit paraître immobile, l'œil fixe et sûr, le sourcil épaissi et surplombant, comme une danseuse espagnole.

Une danseuse espagnole? J'ai perdu ma Célestine? Ou je l'ai trouvée? Y a-t-il plusieurs manières de tomber amoureux de la même femme? Que m'apprenez-vous, sans le savoir, mon solitaire petit voisin?

Il me prend l'envie d'entrer dans la danse, à mon tour, à ma manière. Pas très scientifique, ma manière; aucun respect des emplacements, des distances, de la bonne tenue. Vite! Déboutonnés! Dépenaillés! Et nos jambes s'arc-boutent, et nos jambes pivotent et basculent... Lourde sera la chute sur le parquet Versailles (M. Émile va pester contre ses voisins tapageurs)... nos ventres se heurtent et se mêlent. Comme si c'était la première fois.

XII

Je passe sur quelques semaines pénibles où j'ai dû rédiger un rapport sur le marin polonais, présenter les circonstances de sa visite, justifier le délai entre mon intervention et son hospitalisation. On m'a demandé des précisions, des corrections. Ma hiérarchie et la Justice unissaient leurs forces. J'ai reçu des convocations diverses. On soulignait à plaisir mes insuffisances : je sentais qu'on aurait voulu me faire porter le chapeau. Puis un opportun dossier médical, venu de Pologne, a apaisé les esprits. L'homme présentait, paraît-il, des carences antérieures, je ne sais quelles déficiences physiques qu'il aurait cachées à un armateur de toute manière peu regardant. À la satisfaction générale, le coupable était la victime ; l'affaire a été classée sans suite ; le capitaine a repris la mer ; les tracasseries à mon encontre se sont arrêtées.

Je n'étais pas quitte. Un nouveau désastre m'a occupé quelques jours : la collision d'un méthanier ukrainien et d'un porte-conteneurs à l'entrée de l'estuaire. Je n'ai pas eu, naturellement, à traiter moi-même les blessés, évacués par la Sécurité Civile. Mais, plus grave, j'ai vu défiler, dès le lendemain, la troupe des rescapés – la plaie du médecin : les patients indemnes qui souffrent d'avoir réchappé à la catastrophe. Comme on ne les prenait pas au sérieux, on me les avait envoyés. Je ne savais plus comment me débarrasser d'eux ; je me voyais appelé à rédiger un nouveau document sur les effets secondaires du drame humain.

Dans le même temps, Célestine évoque devant moi les subtilités du tango. Sa frénésie s'amplifie. Tant d'insistance de sa part m'agace. Je n'ai pas la tête à ses fantaisies.

Je finis pourtant par m'inquiéter de ses partenaires. Je m'efforce de ne pas avouer ma jalousie naissante, du moins l'espèce d'inquiétude qui me serre l'estomac, chaque fois qu'elle mentionne l'existence des danseurs de son cours. Je reconnais que ce sentiment (ou la sensation désagréable qu'il me procure) ne mérite pas que je m'y attarde un instant : que serait un cours de danse privé de danseurs ? L'un d'eux toutefois me préoccupe plus particulièrement : il me semble avoir pris sur Célestine un ascendant indiscutable. Ses glissades, plus que son âge, la séduisent manifestement. Il a le pied aigu et léger, malgré ses soixante ans passés. C'est un maître d'hôtel à la retraite.

La philosophe et le maître d'hôtel, la fable pourrait me faire sourire ; je redoute sa chute. Célestine a pris l'habitude (et ceci à la fois exacerbe et apaise ce maudit picotement à l'estomac) de me rapporter les confidences dont ce trop aimable valseur paraît prodigue. Si je les reprends à mon tour, c'est, outre qu'elles m'asticotent, qu'elles ont pris un tour qui m'intéresse.

La danse, si j'en crois M. Émile, suppose un cercle fermé : les danseurs tournent sur eux-mêmes et reviennent sans cesse (et avec quelle félicité !) sur leurs propres traces. Il était inévitable que les confidences d'un maître d'hôtel expert en valses et tangos nous ramènent à notre voisin ; l'exact contraire d'une coïncidence. Au paradis, tout le monde se connaît.

Ce maître d'hôtel, selon Célestine, est un bavard infatigable et gourmé. Il bavarde en dansant, il bavarde à la moindre pause, il bavarde pendant les explications du professeur. Ce bavardage la gênait au début, parce qu'elle aspirait à cette discipline du corps dont elle m'avait parlé. Elle espérait qu'une concentration supérieure compenserait la modestie de ses dons : laisser glisser sa pensée dans ses pieds, mettre son orteil à l'écoute. Le bavard intempestif ne lui laissait pas une minute ; il se montrait sur le parquet, en dépit de sa désinvolture, le plus brillant, le plus sûr, le plus confirmé des amateurs du cours. Célestine a fini par prendre ce murmure permanent pour un accompagnement musical, auquel elle ajoutait, par politesse, sa note personnelle, une approbation, une question, une objection (ce qu'elle préfère par-dessus tout). La matière de ce bavardage était d'ordinaire insipide : le maître d'hôtel avait connu des centaines et des centaines de clients, des célébrités, des originaux ; il racontait des anecdotes de ses débuts, les mésaventures de ses collègues, la vie des grands restaurants parisiens ; il avait tout connu.

Célestine lui a parlé incidemment de notre voisin amateur de belles danses et de bals anciens. C'était naturellement une connaissance, un homme de la profession. Oui, M. Émile a été serveur dans divers cafés, brasseries, restaurants. Ils n'ont jamais travaillé au même moment dans le même établissement, mais ils se sont croisés bien des fois : ils avaient des relations communes, bien qu'ils ne soient pas de la même génération.

Un serveur ! Il fallait que Célestine s'inscrive à un cours de danse pour que nous apprenions que notre voisin avait été serveur. Mais pas n'importe quel serveur, dit le maître d'hôtel, selon Célestine, un serveur avec le diable au corps. En dehors de ses heures de service, en cas de défaillance fréquente de tel ou tel musicien, il « faisait le piano-bar », empruntait la clarinette, reprenait la batterie.

Il n'avait pas une réputation de grand talent, non, mais il se défendait assez pour ne pas ruiner une soirée. Et la clientèle, dans le genre d'établissements où il exerçait, n'était pas si regardante sur la justesse des accords. Il a passé des nuits blanches, agitées, en plus de son travail de la journée. Il s'est abîmé la santé, selon le maître d'hôtel qui se vante, lui, d'une vie sobre et équilibrée, d'une pratique réfléchie de la danse qui l'a mené à ce degré de perfection et d'aisance, dans un corps svelte et élégant.

Quand se sont-ils connus ? Voilà près de vingt ans. Ils se sont rencontrés en passant, mais régulièrement (en compagnie toujours, jamais intimes), pendant une dizaine d'années. M. Émile, tout au long de cette période, a, semble-t-il, mené grand train, changé de place plus que de raison. Son grand rêve, sans doute, dit le maître d'hôtel, c'était de mener le bal ; il est resté bouche-trou, apprécié comme tel, toujours serveur.

Ce qui a achevé de l'épuiser, c'est la danse. Quand le vrai pianiste du bar était à son poste, quand le batteur était revenu de son congé, quand le clarinettiste n'avait pas trop bu, quand on n'avait pas besoin de lui, il ne pouvait pas se résoudre à quitter ce monde : il passait encore une nuit à danser. Il ne savait pas s'en aller, comme tout homme, maître de lui-même, selon le virtuose de Célestine, se doit de le faire. Il tenait cette passion de ses débuts. Mais, sur ce point, le maître d'hôtel se montre très réservé. Il ne peut apporter son témoignage sur des faits qui datent d'une bonne trentaine d'années et qu'il tient, dit-il solennellement, de la bouche de Jacques Émile lui-même, ce qui n'est en rien une garantie d'authenticité, tant le jeune homme qu'il était alors lui semblait vantard. Sympathique, mais vantard. Et plus encore : mythomane (mythologue, a dit exactement le maître d'hôtel, mais il faut dire, à sa décharge, ajoute Célestine, qu'il a prononcé le mot en pleine exécution d'une valse à l'envers, exercice particulièrement redoutable).

De telles promesses de révélations, même mensongères, ont, sur le moment, excité Célestine, et moi avec elle, maintenant.

Tout aurait commencé en Afrique occidentale (cette partie paraît la plus digne de foi) : Jacques Émile, tout jeune, aurait travaillé pour une compagnie pétrolière au Gabon, ou au Congo. Dans ces années-là, les expatriés ne rejoignaient pas encore leur poste en avion, mais par bateau. L'Afrique et le pétrole l'ont vite ennuyé ; les traversées en bateau l'exaltaient. On y passait son temps à des distractions bien attrayantes pour un garçon de son âge, en particulier le soir. On improvisait des soirées dansantes. Jacques Émile faisait l'aller-retour une fois par an. Un été, il aurait décidé de ne pas reprendre la direction de l'Afrique ; il aurait réussi à se faire engager sur un paquebot en partance du Havre pour l'Amérique. Comme barman. Ce serait le début de sa carrière (début douteux, s'il faut en croire le maître d'hôtel, qui considère qu'un métier s'apprend plus sérieusement, que lui-même, etc.). Il aurait enfilé, sur ce navire, pour la première fois, la tenue du danseur mondain, faisant, à l'occasion, office d'« entraîneur », pour ne pas dire d'« entraîneuse » (Célestine imite ici la moue dégoûtée du maître d'hôtel, parodie qui me réjouit et me rassure sur les liens éventuels qui pourraient s'établir entre les deux partenaires), auprès de dames riches et solitaires qui dépensaient leur ennui en traversant l'Atlantique.

Il serait devenu l'amant d'une Allemande habituée de la ligne, ce que le maître d'hôtel refuse d'admettre. Longtemps après, l'ancien danseur transatlantique prétendait entretenir encore certains liens avec cette femme bien plus âgée que lui. Elle lui aurait même accordé son aide financière, quand il avait dilapidé ses quelques revenus dans des fêtes effrénées. Le maître d'hôtel, bien entendu, n'a jamais vu cette personne. Tous ceux qui côtoyaient Jacques Émile, à la même époque, et de plus près que lui, mettaient en doute son existence et avaient pris l'habitude de blaguer leur ami sur cette Arlésienne germanique, si bien qu'il avait renoncé à la mentionner lorsqu'il revenait sur ces années.

La grande époque des transatlantiques était arrivée à son terme. Le barman danseur s'était retrouvé au port. Il fallait vivre, il avait trouvé une place de serveur ; il fallait profiter de la vie, il avait continué à danser et à faire danser, au Havre le plus souvent, à Paris parfois, comme le maître d'hôtel lui-même.

Tout au long de ces années, Jacques Émile a gardé sa petite réputation. Il était bien l'objet de quelques moqueries, mais il faisait parler de lui, ce qui le flattait. C'était un garçon voyant, amateur de vêtements excentriques et colorés. Pour les soirées uniquement ; le reste du temps, stricte tenue de serveur. Tout le monde se demandait où il trouvait l'argent pour renouveler si régulièrement sa garde-robe – sa Teutonne, disaient les plaisantins en se poussant du coude. Il exhibait ses costumes jaunes, ses chemises bariolées, ses cravates audacieuses. Il prenait toujours des airs mystérieux. Certains l'appelaient le « clown triste ». C'est vrai que, toute la journée, il était triste, Jacques. Mais, la nuit venue, c'était un autre homme, une sorte de flambeur, un diable sorti de sa boîte, étincelant de couleurs vives.

Un autre grand sujet d'interrogations contribuait à sa notoriété dans le cercle de ses connaissances. Où logeait-il ?

Lui-même laissait entendre qu'il dormait chez les unes ou les autres. Cette prétention à jouer les grands séducteurs était, pour tous ses confrères, la source inépuisable de blagues scabreuses. L'opinion la plus répandue voulait qu'il finisse ses nuits sur les banquettes des bistrots ou des restaurants où il servait. Le dernier couché, le premier levé, pour faire l'ouverture. Où entreposait-il toutes ses tenues de fête ? Dans son casier de fer, dans les vestiaires des employés ? Personne n'a jamais réussi à le savoir. Avec ça, toujours bien repassé le soir. Le grand mystère.

S'il allait en compagnie dans tel ou tel petit cabaret de l'époque, il tenait à emprunter l'entrée des artistes, jamais la porte commune. Il prétendait toujours avoir une danseuse à voir. On ne savait jamais laquelle, les amis se lançaient des clins d'œil. Il se vantait même d'avoir épousé, longtemps avant, une de ces artistes de cabaret. Pur mensonge, selon le maître d'hôtel: d'autres témoins plus anciens lui avaient assuré l'avoir connu marié, un temps, avec une petite serveuse très ordinaire, un peu coureuse, et qui l'avait laissé tomber, entre une matchiche et une rumba, très en vogue à l'époque. Un mariage sans avenir. Et, par la suite, sans doute, quelques aventures sans lendemain.

Le maître d'hôtel se souvient, dit Célestine, de la dernière place de M. Émile. Il s'en souvient pour une bonne raison: c'est lui qui l'a fait engager, grâce à ses nombreuses relations dans le milieu de la restauration. Et quelle place ! Sur une péniche, une de ces péniches amarrées, définitivement immobilisées, une péniche-bar où l'on va, pour être sur l'eau. C'est idiot, mais c'est à la mode, et c'est distrayant d'être sur l'eau et accroché à la terre en même temps. Pauvre Jacques, ça lui aurait rappelé l'époque des grands paquebots, s'il avait servi sur les paquebots, gentille sornette que le maître d'hôtel nie une nouvelle fois avec fermeté. Pauvre Jacques !

L'affaire s'engageait bien: l'artiste, selon son habitude, avait fait valoir ses petits talents; il tenait le piano, après le service de jour. Le patron de la péniche ne prenait pas la peine de le rémunérer davantage: Jacques Émile aurait payé pour jouer. Il se contentait de quelques pourboires supplémentaires.

Et puis un jour, une douleur, un élancement qui l'arrête instantanément dans sa marche, le plateau en équilibre; l'éclair passé, il a repris le service. C'est revenu, un soir, et encore un autre jour; le mal est devenu permanent, la jambe traînait, le genou gonflait, grinçait : arrêt de travail, piqûres, reprise, souffrance, repos forcé. Son patron ne pouvait plus compter sur lui. Dans la profession, on n'est pas tendre avec ceux dont le corps ne suit plus. Et il boitait, il boitait ; et plus il boitait, plus il marchait, se souvient le maître d'hôtel qui l'a rencontré un peu plus souvent à cette époque, dans la mesure où c'est lui, il tient à le rappeler, qui avait procuré cette place à Jacques Émile. Plus il boitait, a-t-il poursuivi, plus il dansait aussi. Il disait que, sur la piste de danse, sa boiterie ne se voyait plus. Il avait mal – et plus encore après – mais il ne boitait pas. Les pas de la danse masquaient le défaut. Parfois, nous entendons la voix fluette ou mal timbrée d'un médiocre causeur ; d'un seul coup, cette même voix s'élève et chante : un ténor. Jacques Émile dansait pour oublier qu'il boitait ; il se détruisait le genou avec application. Tous ceux qui l'ont croisé à ce moment-là le confirmeraient : il vivait dans un état de rage permanent, il montrait son genou à qui voulait bien entendre ses plaintes ; il le frappait du dos de la main, comme un adversaire, ce morceau détaché de son corps, désarticulé, rongé et dévorant.

Son patron s'est débarrassé de lui, une commission médicale l'a réformé, lui a attribué une petite pension d'invalidité. Il n'a plus dansé autant.

Il avait à peine passé la quarantaine. Le maître d'hôtel avoue qu'il ne s'est guère préoccupé de son sort : le patron de la péniche-bar lui reprochait de lui avoir recommandé un mauvais cheval. D'ailleurs beaucoup d'anciens collègues ne se gênaient pas pour dire qu'Émile avait récolté ce qu'il méritait. On l'avait toléré parce qu'il amusait ; maintenant qu'il était tombé, ses ridicules devenaient des crimes. Jacques Émile s'est retiré de ses cercles habituels ; personne n'a fait d'efforts pour le retenir ; il ne faisait plus partie de la profession. Rayé des cadres, comme s'il n'avait jamais existé. On a perdu sa trace ; le temps a passé ; les compagnons de cette époque se sont eux-mêmes dispersés.

C'est sans doute à cette époque précisément que M. Émile s'est réfugié dans son petit sous-sol bon marché, dont le maître d'hôtel ignorait tout, selon Célestine, qui lui en a révélé l'existence. Le partenaire de Célestine, ce danseur de premier ordre, aux genoux de jeune homme (ce sont ses mots emplis de fierté), reconnaît songer avec tristesse, de temps à autre, à son malheureux collègue, si jeune et si fragile. Il l'a croisé deux ou trois fois ces dernières années : ils se sont ignorés, ou plutôt le maître d'hôtel a cru sentir chez Jacques Émile une animosité peu engageante. Chacun a passé son chemin.

Aurions-nous imaginé en apprendre autant sur notre voisin, par la grâce d'un bellâtre sur le retour ? Je n'en veux plus à Célestine de s'être inscrite, malgré moi, à son cours de danse. Cette récolte miraculeuse nous réconcilie et me trouble plus que je ne le voudrais.

XIII

Ce soir, je marche. Je quitte à pied mon triste *Seamen Medical Center* et ses bâtiments bleuâtres des années soixante ; lubie ou nécessité plus forte que moi, j'oublie ma voiture le long de son trottoir. Moi qui ne marche jamais, je marche. Et, marchant, je m'aperçois que je compte mes pas, que je soigne mes pas, que je place mes pas. Vais-je me mettre à danser dans la rue ? Virer au coin des immeubles comme un valseur au bout de la piste, maître de l'espace les yeux fermés ? Je ferme les yeux, pardon madame...

Les marcheurs, le cou rentré, à sept heures et demie, en décembre, se déhanchent autour de moi, comme une arrière-garde en déroute, se déploient en silence de tous côtés. Et dans cette troupe sans discipline, je remarque un petit soldat à la silhouette familière, toujours le même qui me poursuit, qui m'épie peut-être. Personne ne voudra me croire : nous sommes loin de chez nous et pourtant IL marche sur le même trottoir que moi. Le rat s'est éloigné de son terrier, il muse et trottine le nez baissé. Il est, décidément, partout où je suis, à mes trousses, j'en suis sûr, et pourquoi ? Impossible encore de parler de fâcheuse coïncidence, comme si nos vies devaient être indissolublement liées.

Je ne sais si les révélations récentes du maître d'hôtel m'abusent : la claudication de mon voisin me semble, aujourd'hui, frappante. Comment avait-elle pu m'échapper jusqu'ici ? Où s'était logé mon fameux coup d'œil médical ? Ou bien souffre-t-il davantage en fin de journée ?

Après tout ce que j'ai appris, rien ne m'échappera plus. Quelle savoureuse sensation d'en savoir sur quelqu'un infiniment plus qu'il ne peut s'en douter ! Il s'avance, enveloppé dans un pardessus, et tout nu. Il n'est plus mon simple voisin, il n'est pas un simple passant : sous mes yeux, c'est un corps ausculté, pesé, palpé, radiographié ; je vois, en négatif, un serveur en tablier, un pianiste, des bateaux, des danseurs, l'Afrique, ces masses de chair, de fer, de continent, qui font un homme, un si petit homme devant moi.

Sa tête penche, il va faire semblant de ne pas me voir, je l'arrête. La surprise est si grande dans son œil que je suis rassuré. Il ne me suivait pas, ne m'épiait pas, ne me cherchait pas. Lui, du moins, ignore qui je suis véritablement. Je doute, un moment, qu'il m'ait reconnu. Enfin, son visage s'éclaire :

— Ah, par exemple, répète-t-il, je m'attendais pas à vous trouver dans ce coin, par exemple ! Comme ça, vous aussi, vous traînez vers le port ?

— Pour mes études, dis-je, comme toujours.

— Vos études ?

M. Émile, ce soir, ne comprend rien à ma présence, à mes propos. Mon œil médical, tout infirme qu'il est, ne tarde pas à identifier le mal : mon voisin a bu son litre, ou davantage, il empeste le vin de pays, il porte sur lui cette odeur chaude de l'alcool qui irrigue le corps et s'évapore. Je ne sais plus s'il boite ou s'il titube. Je lui prends le bras, comme un ami ou un sauveteur ; il se dégage. Comme le froid pique, je lui propose d'aller d'un pas plus vif. Nous marchons. Il respire mal. Une vapeur brûlante, rosie par la lumière des lampadaires, sort par saccades de sa bouche. Le brouillard de décembre s'épaissit avec la nuit. Si je le laisse tout seul, mon ivrogne se perdra dans ce gros nuage tombé sur le quartier. Qu'il me repousse, je ne l'abandonnerai pas.

Après quelques instants, comme sorti d'une absence, il me jette avec violence :

— Z'êtes encore là ? Oh, après tout, vous marchez où vous voulez, c'est pas moi qui vous emmène, c'est pas vous qui m'emmenez. Si on va pareil, personne y peut rien.

— Vous tirez la jambe, c'est d'avoir trop dansé ?

Je n'ai pas pu m'empêcher de le relancer : ma manie des piques, mon vieux démon si néfaste – la gueule du loup. Je me répétais depuis cinq minutes : évite le sujet. Trop tard. L'allusion grossière est sortie de ma bouche de garçon pourtant bien élevé.

— Trop dansé ? répond-il. Non, monsieur, on ne danse jamais assez.

— C'est d'avoir trop marché au pas ou aux ordres, alors ?

Mon deuxième démon, la provocation, quand tout est déjà perdu.

— Là, z'avez peut-être raison, je sais pas d'où vous sortez ça, mais z'avez raison. Tout le monde devrait marcher comme il veut. Et toute la vie vous tombez sur des types qui veulent vous faire marcher droit. Je marche droit si j'en ai envie. J'obéis à personne. C'est pas vous qui me dicterez mon chemin. Tiens, ça me dégoûte, ce qu'ils ont pu me faire marcher, tous.

Cette fois, il est lancé, comme un ivrogne mis en verve et que personne n'arrête plus :

— Vous avez déjà vu un danseur marcher droit longtemps ? Il bute dans le mur. Il faut tourner comme on veut. Tiens, je prends à gauche, ici, et vous ?

— À gauche aussi.

— Z'êtes pas obligé.

Je veux l'amadouer :

— On est libres, jusqu'à un certain point… même un danseur respecte des figures… il obéit à la musique… il ne peut pas tourner exactement où il veut…

— M'faites rire. Et ça fait une thèse ! Je voudrais bien la lire votre thèse, je me marrerais. Je l'attends toujours.

Si au moins vous vous adressiez à des connaisseurs... Mais non, vous ne m'écoutez pas. Ah, bien poli, et oui par ci, et bravo par là. Et vous n'en faites qu'à votre tête. Du scientifique ! Du sociologique ! De l'historique ! Du ce que vous voulez ! Moi, je vous dis la vérité et je vous dis que le bon danseur est libre, comme moi. Il y a le cadre, il y a le pas, mais le vrai grand invente des figures. Il a bien fallu des inventeurs de figures pour créer les centaines de danses que vous étudiez. Si tu avais été avec moi, autrefois, je t'aurais montré : à chaque fois, sur la piste, un inconnu sort du lot. Tous les autres sentent qu'il danse mieux qu'eux ; il fait sa figure, il nous épate ; il fait le pas d'une manière spéciale, rien qu'à lui, ça fait un murmure. Ce type-là, ce soir-là, domine tout le monde... il est libre... c'est le prince du bal...

Vous m'avez dit que je tirais la jambe. Ça me fait mal qu'on me le dise, parce qu'à une époque, moi, j'ai été ce prince. J'ai aimé être le prince partout où je passais. Et puis j'ai aimé aussi le voir apparaître au milieu d'une soirée. Si je dansais pas, j'attendais le moment où je dirais : celui-là, c'est le prince de ce soir, ou : celle-là, c'est la princesse. Tout le monde avait sa chance. Avant chaque bal, je me demandais : qui sera le prince, aujourd'hui ? Et, des fois, c'était moi. Tu peux pas comprendre ce qu'on sent. Ça te porte, ça te tient, ça te reste jusqu'après le bal. Même au repos, le vrai prince du bal a l'air de danser.

M. Émile a fait un écart de grand buveur, qui m'a obligé à descendre du trottoir.

Dans toute la ville basse, maintenant, s'insinuent les gémissements de la sirène de brume. Ici, chaque jour de brume trop épaisse, une sirène signale aux bateaux, à intervalles réguliers, l'entrée du chenal. Tous les dix pas, je l'entends meugler, *mmmmmm*, j'ai l'œil sur mon prince dans le brouillard, *mmmmmm*, imprégné de son vin mauvais, *mmmmmm*, et lyrique. Je l'entends encore marmonner quelques phrases, *mmmmmm*, dont le sens m'échappe. Cette corne vous brûle les oreilles des nuits entières parfois, ruine votre sommeil, vous donne envie de vous jeter à la mer. C'est comme une maladie qui s'empare des quartiers voisins du port et de la mer, un gros rhume chronique, avec ses bourdonnements d'oreilles. Certains habitants préfèrent fuir l'endroit, après un automne ou un hiver particulièrement brumeux.

Nous marchons un moment côte à côte, silencieux, oppressés par ce *mmmmmm* assourdissant à mesure que nous nous en rapprochons. M. Émile semble savoir où il va, tout en y allant d'un pas hasardeux. Je l'accompagne fermement vers ce but mystérieux.

— Z'êtes sûr que vous ne devez pas prendre un autre chemin ?

— Sûr.

— Vous l'aurez voulu, alors. Si vous saviez où je vais et pourquoi, vous seriez déjà parti. Vous y tenez vraiment ?

Plus que jamais, forcément.

— Oh, et puis je m'en fiche, j'ai pas de honte, après tout. Tu te dis que j'ai un coup dans le nez. Tu me regardes comme les gens, quand je suis un peu saoul. Un peu seulement. Jamais plus qu'un peu. Juste assez pour me foutre de ce que tu penses de moi, toi le grand chercheur. Marre à la fin, grand chercheur ou petit paumé comme moi, qu'est-ce que ça fait ? Allez viens !

Lui et moi, on fait une drôle de gambade dans ces rues alourdies d'une écume jaune et froide. Je calque mon pas sur le sien, pour ne pas le perdre. Nous suivons des courbes, faisons des détours, des boucles, des voltes. À croire que la ville et son fameux tracé rectiligne d'après-guerre se sont effacés sous nos pieds. Cinq minutes de ce trot cahoté, le temps d'une trentaine de coups de sirène gras et appuyés, n'ont pas suffi à m'éclairer sur notre destination.

— On voit pas plus loin que son pied, a dit mon voisin, mais on devrait y être ; tenez, là, derrière, de la lumière, la boutique. Ça va fermer, c'est le moment.

Nous entrons dans une boulangerie-pâtisserie vide; une grosse tête marquée d'un sourire bien rouge apparaît par le passe-plat, sans prendre la peine de quitter l'arrière-boutique :

— Rien ce soir. La journée a été bonne, tout est vendu. Désolée, revenez la semaine prochaine, vous aurez plus de chance.

La face ronde s'éclipse, mon voisin recule, contrarié, hésitant. Puis, demi-tour à droite, au galop, dépêchons, chez Guertault, au bout à droite, s'ils n'ont pas déjà fermé.

Va-t-il m'expliquer enfin, pendant que je lui emboîte le pas et que nous glissons sur les trottoirs désertés ?

Entre deux *mmmmmm* plus vrillants de la sirène (la digue Nord ne doit plus être bien loin, même si l'épaisseur du brouillard m'interdit de la distinguer), M. Émile s'essouffle à répondre à mes questions insistantes, s'interrompt sans cesse pour me crier : « Vite ! Vite ! » avec des han ! han ! douloureux (et ces petits han ! han ! à chaque fois propulsent devant sa bouche un long jet de vapeur blanche).

Il presse encore le pas ; je vois bien qu'il boite de plus en plus bas. Pourquoi courons-nous à la fin ? Toutes ces bribes de phrases, ces demi-mots lancés à travers la brume, ces syllabes haletées, je les relie, comme je le peux, les uns aux autres : je devine qu'il court les pâtissiers deux fois la semaine. Pourquoi deux fois ? Parce que les jours de fermeture les plus courants de ces commerces sont le lundi et le mercredi. M. Émile connaît les habitudes de chacun : il se présente, le dimanche ou, comme aujourd'hui, le mardi soir, à la porte des magasins. Il se fait offrir les gâteaux et pâtisseries invendus, qui seraient trop secs ou dont la crème aurait tourné, s'il fallait les remettre en vente le surlendemain. Certains pâtissiers consentent à cette aumône, d'autres, il les connaît, les évite, les hait – de vrais salauds –, préfèrent tout écraser et jeter aux ordures plutôt que d'en laisser une miette gratuite à de pauvres bougres comme lui. Les plus aimables vont jusqu'à vous préparer de gentils petits paquets bien ficelés.

Il a ses adresses, ses circuits du dimanche et du mardi, ses jours fastes et néfastes. Quand tout va bien, il fait à bon compte des orgies de chocolat. C'est qu'il a eu des frais, ces derniers temps, ses travaux, ses peintures, son sax ténor lui ont coûté, dit-il, les yeux de la tête. Sa pension ? Une misère. D'ailleurs, il la dépense en fantaisies : il ne veut pas ressembler à ses pareils qui se privent de tout pour manger un peu. Ceux qui, parfois, le plaignent lui disent :

— Une si petite pension ne nourrit pas son homme.

Eh non, elle ne le nourrit pas, il la gaspille. Pour sa subsistance, il préfère les combines, les plus astucieuses des combines, qui font de lui un gourmand désargenté et repu. Les bons jours, il s'octroie assez de friandises pour toute la semaine, matin, midi et soir. Du rassis, peut-être, mais du bon. Qui pourrait s'offrir autant de gâteries ? Quel riche se goinfre d'autant de douceurs à tous les repas ? Et qui n'y perdrait pas la santé ? Lui, c'est un vrai maigre. Sa peau craque sur ses os ; la chantilly irrigue sans dommage, prétend-il, sa carcasse étroite.

Guertault, c'est ici. Un vrai pâtissier, réputé et généreux. Une chance, le rideau de fer n'est qu'à moitié baissé ; nous nous plions en deux pour entrer dans la place. Un autre quémandeur nous a précédés, un grand maigre, avec un vieux sac de voyage sur l'épaule, et un chien pelé. Il a déjà reçu son lot du mardi soir. Je constate que mon voisin n'est pas l'unique bénéficiaire des bonnes grâces de la profession, ni l'inventeur exclusif de sa combine. Le patron raccompagne en personne notre rival et le salue amicalement. Il lui a donné tous les restes, plus rien pour nous. Mais les deux compères se reconnaissent ; ils ont déjà chassé sur les mêmes terres et acceptent de traiter. J'indique d'un geste que je ne réclame rien pour moi ; mon voisin obtient deux tartelettes et un flan appétissant ; le grand trimardeur garde quatre ou cinq gâteaux, plus des sablés bien dorés pour son chien.

— Rockefeller ! crie-t-il, et l'animal se jette dans ses jambes, la gueule grande ouverte.

La conversation s'engage, sur le trottoir, de pair à compagnon. Je vois M. Émile plus animé que jamais : ce n'est pas un bon soir pour la chasse aux gâteaux ; la concurrence est de plus en plus forte ; le nombre de boulangers et pâtissiers coopératifs s'amenuise. J'écoute ces experts comparer les forêts noires, mille-feuilles, fraisiers, brésiliens, paris-brests, meringues des uns et des autres. Mon voisin a une prédilection pour Guertault, l'autre met au-dessus de tout un certain Musguet, de la fournée du dimanche soir.

Je goûte, dans le froid, cette conversation de dames de salon de thé, je déguste charlottes tendres et croquants opéras, j'en imagine les saveurs à travers les éloges croisés de deux misérables goinfres.

Rockefeller a englouti ses biscuits, son maître commence son festin et m'engage à y participer ; j'accepte, pour ne froisser personne, un macaron. Ce beau partage réjouirait mes deux larrons, s'il ne leur rappelait pas que le butin est finalement bien maigre. Ils décident de faire une dernière tentative chez un certain Roulier, qui a des airs pingres, dit le grand, fait mine de se fâcher, mais finit toujours, même en rouspétant, par distribuer de bonnes rations ; il faut savoir le prendre, c'est tout. M. Émile ne l'inclut généralement pas dans sa tournée du mardi, parce qu'il n'a pas apprécié, une fois, de se faire rabrouer par ce boulanger bougon, dont les religieuses sont réputées. Il suffit de se rapprocher de la jetée, c'est en face.

— Il est bien tard, objecte mon voisin.

— Raison de plus pour ne pas traîner, répond l'autre, qui lance Rockefeller devant nous.

Il ajuste ses grands pas raides dans son sillage, confesse, en même temps, une arthrose féroce qui ne l'empêcherait pas néanmoins d'aller au bout du monde.

— Je ne m'écoute pas, dit-il. C'est le secret. Tel que vous me voyez, je suis ici, dans une heure je peux être à l'opposé de la ville, vous en seriez étonné.

Ce n'est pas le moment d'avouer mes fonctions médicales. (Je me garde toujours de ce genre de révélation, de peur de voir se transformer sous mes yeux tout bien portant en malade exigeant. Du reste, je ne me suis jamais senti un médecin comme les autres : j'ai mes diplômes – qu'on ne me soupçonne pas d'exercice illégal de la médecine – mais pas de cabinet privé, ce qui me permet cette discrétion que je ne veux pas rompre aujourd'hui. Médecin pour les marins, spécialisé dans les maladies tropicales, voilà mes titres, même si, certains jours, j'aimerais bien m'en débarrasser. Alors, silence sur l'arthrose, je me contente de prédire intérieurement à ces deux infortunés, et au chien, des maladies de riches.)

Le chien jappe, la sirène lance ses *mmmmmm*, M. Émile ses han ! han ! Nous suivons nos guides, galop de chasse, au plus court, chez Roulier !

— Je peux plus arquer, me souffle mon voisin, ça coince en bas.

Je passe mon bras sous le sien, il résiste une seconde, il cède…

— On arrive ! On arrive ! crie l'arthrosique loin devant.

Près de la boulangerie, ils sont déjà trois, en grande discussion, trois barbus maladifs et sales qui regrettent vigoureusement d'avoir si peu à se mettre sous la dent.

— La boulangère a encore des réserves, dit l'un.

— C'est toujours comme ça, dit un autre, elle espère VENDRE encore. Jusqu'à la dernière seconde.

— À une heure pareille, reprend le troisième, elle a pas honte ?

Notre arrivée leur déplaît : ils étaient là les premiers. De nouveaux marcheurs approchent, par petits groupes, sur chaque trottoir, de tous côtés, comme nés de la digue, dans l'ombre et la brume. Un vrai corps de ballet, ai-je pensé, qui sort des coulisses et se jette sur la scène. Tous réclament bientôt leur dû et protestent en tapant à la vitre de la devanture.

Ils crient pour s'entendre : la corne de brume nous couvre toutes les dix secondes. La corne dont nous sommes plus près que jamais, la corne qui sauve les marins, la corne qui nous harcèle, la corne les rend fous. Ils s'insultent, s'entre-déchirent. L'expédition qui me mettait en joie, depuis tout à l'heure tourne au désastre. On se retourne bientôt vers le beau monsieur, on le suspecte, qui c'est celui-là ? on t'a jamais vu par là, il est pas des nôtres. On me bouscule. M. Émile parlemente un instant. Les voix rauques, embrumées d'alcool, s'affrontent, se résument vite à de brefs aboiements. Pas plus de dix secondes, les phrases. Dix secondes fatidiques. Sinon le grand *mmmmmm* dévore et emporte les derniers mots. Ils jappent tous ensemble. Contre moi. Impossible de m'expliquer, ils ne m'écouteront pas… « Qui t'es ?… » « Un flic… » « Messieurs… » « Piquer nos gâteaux… » « Pour qui tu te prends ?… » « Vous vous trompez… » « Des types comme ça… » Rockefeller et son maître s'en mêlent ; curieusement, pas les moins hargneux, comme s'ils voulaient racheter la faute de m'avoir conduit jusqu'ici, comme s'ils voulaient faire corps avec le groupe divisé et soudain ressoudé face à l'ennemi commun. Je me vois menacé par un cercle de visages marqués par la fatigue et la colère. Réconciliés sur mon dos. La rareté des produits, ce soir, c'est moi. L'affameur, c'est moi. À côté de moi, M. Émile est tout à fait dessaoulé, il se sent lui-même en danger, il veut me sortir de ce mauvais pas, me glisse-t-il, désemparé.

C'est moi qui l'empoigne, d'un seul coup, à la faveur d'un *mmmmmm* et dans la confusion des voix, et l'extrais de l'attroupement. Courons, *mmmmmm*, han ! han ! plus vite, sauvés.

Mon voisin, où m'avez-vous entraîné ? Dans quel quadrille effréné, dont j'ai failli être le prince malgré moi ? Du moins, j'aurai vu, de mes propres yeux, des affamés s'empiffrer de babas et d'éclairs.

— Tout de même, dit-il, quand il a repris son souffle, j'aurais bien aimé avoir ma provision.

Il n'a pas voulu rejoindre en ma compagnie notre domicile presque commun : nous nous sommes séparés brutalement, sans explication. Chacun de son côté, pour de bon. Par quels détours secrets a-t-il regagné sa taupinière ? Je n'ai pas cherché, cette fois, à le savoir.

Chez moi, personne : Célestine avait son cours de danse du mardi soir.

*

M. Émile a glissé sous ma porte, le lendemain, une longue lettre, un peu confuse, dans laquelle il me présentait des excuses. Il affirmait ne plus oser se présenter devant moi ; ne pas comprendre ce qui lui était passé par la tête, en acceptant ma compagnie dans une virée qu'un homme comme moi devait nécessairement, selon lui, mépriser. Il demandait mon indulgence ; il allait cacher sa honte plus bas que terre. Il n'était pas un vulgaire soûlard, ajoutait-il, contrairement à ce que je devais penser ; il se sentait tout aussi éloigné que moi de ces hommes violents qui m'avaient fait passer « un sale quart d'heure ». Il promettait de s'amender et me demandait de lui accorder à nouveau ma confiance. Après diverses flatteries, il disait regretter certains propos dont le souvenir était vague mais désagréable ; il osait se permettre une dernière remarque, ou plutôt une demande, presque une supplique : il espérait encore avoir le privilège d'être le premier lecteur de ma thèse, de contribuer éventuellement à sa réalisation, dans la mesure où cela serait profitable, et, peut-être, d'y figurer, ce qui serait la meilleure preuve de ma clémence.

Cette lettre tortueuse et mielleuse ne m'a pas rassuré : sous couvert de politesse, elle ressasse une obsession ; je devine un monomaniaque qui ne me lâchera plus.

*

Très vite, à sa nouvelle manière, il s'est rappelé à moi. Le lundi suivant, Célestine a trouvé sur le paillasson un paquet de gâteaux, puis un autre le mercredi, et ainsi de suite. Elle les déguste sans comprendre mon refus de partager son plaisir et d'aller remercier notre voisin.

— C'est lui qui nous remercie, dis-je, plus exactement, il essaie de se racheter.

Il semble que nous n'échapperons plus à ce cadeau rituel, derrière lequel il se cache. Je ne le vois plus, ni aux alentours de notre immeuble, ni dans la rue. Je ne le vois plus, mais je l'entends. Il n'écoute plus guère de musique pourtant : bien plus grave, il en fait. Ce sont des gammes et des gammes, des débuts sans fin, des repentirs sans espoir, des tâtonnements d'enfant. Puis-je croire qu'un artiste pareil a tenu le piano ou la clarinette dans des bars, même comme remplaçant ? J'admets que les années ont passé, qu'il a changé d'instrument ; est-ce une raison pour m'infliger cette punition supplémentaire ?

Je ne le vois pas, ai-je dit, je l'entends. Je le sens aussi. J'avais identifié sur lui, les quelques fois où nous nous sommes trouvés face-à-face, en particulier le soir où il avait trop bu, un parfum singulier. Si je sors de chez moi, je sais qu'il est passé quelques minutes plus tôt ; au coin de la porte, au-dessus de ses fenêtres, son odeur flotte jusqu'à moi : un mélange d'eau de toilette piquante, de tabac froid – des petits cigares, je crois – et de vin ; autre chose encore ? Humus ? Rouille ?

Grumes qui sèchent ? Musc ? Savon ? Violette ? Pomme au four ? À cela s'ajoute, certains jours, le fumet de pommes de terre grillées à l'ail. Une odeur de vieux, selon Célestine, mais de vieux seul, qui se laisse aller. Chaque jour, j'affine mes perceptions. A-t-on senti un toit d'ardoises après la pluie, en été ? Cette alliance de chaud, d'humide, de minéral, de mousse, de champignon ? C'est mon voisin, qui transporte son sous-sol avec lui, sur lui. Il est partout où il n'est pas. Dans l'air que je respire, dans les ondes qui traversent mes tympans, dans les pâtisseries dont il me fait l'offrande deux fois par semaine. Moins je le vois, plus il est présent. Tous ces gâteaux, toutes ces notes, tous ces remugles me disent : ne m'oublie pas, pense à ta thèse, le bal, le bal…

*

Au Centre Médical des Marins, que je fréquente presque avec plaisir désormais, un matelot philippin, embarqué sur un bateau libérien, s'est présenté à moi en pleine santé. Il parlait un bon anglais, montrait une aisance inhabituelle chez mes patients ; il ne voulait pas me mentir, jouer une quelconque comédie ; il comptait sur sa franchise pour obtenir un certificat de complaisance, un bulletin d'admission à l'hôpital, contre une certaine somme d'argent dont il ne me montrait rien, mais dont il disait pouvoir disposer très vite. Il m'a avoué ne s'être engagé sur son navire que dans l'espoir de débarquer ici ou ailleurs, pour ne plus reprendre la mer, commencer une vie nouvelle, faire fortune. Une sorte de passager clandestin officiel. L'homme était vif, sûr de lui, pas un fuyard aux abois, non, un déserteur froid. Je reconnais qu'il m'impressionnait beaucoup. Il m'arrive bien souvent d'avoir envie d'être ce déserteur. Je me sens si peu médecin, je l'ai déjà dit, si prisonnier de mon voisin, comme ce marin qui ne voulait plus de son île, plus de son bateau.

J'ai songé un instant, je l'avoue, à accorder à ce faux patient ce qu'il me demandait. Je me suis repris : je me suis écouté, avec la distance ironique que permet l'emploi d'une langue étrangère, lui faire la morale, l'inviter à remonter à bord du *Grazie*, à accepter son sort de navigateur.

— *Never mind*, a-t-il dit plusieurs fois, avec un sourire paisible et confiant. Si ce n'est pas vous, ce sera quelqu'un d'autre, dans un autre pays, plus tard. Je trouverai forcément quelqu'un d'autre. Dieu le veut.

J'ai promis à ce garçon alerte de ne pas lui nuire, même si je ne l'aidais pas.

— Je ne vous demande pas de promesse, m'a-t-il répondu, en dressant sa petite taille.

Il est reparti serein, prêt pour un nouvel appareillage. Je suis rentré chez moi, pour essuyer ma tempête de gammes, de parfums et peut-être (c'est demain mercredi) recevoir mon lot d'amandines, de meringues ou de brioches.

XIV

Tout a commencé un lundi. Non: tout s'est arrêté un lundi. Le carton, de forme carrée ou rectangulaire, enveloppé d'un papier blanc cassé ou rose, plat ou tire-bouchonné vers le haut comme une pyramide, ficelé de rouge ou de bleu, imprimé d'un nom familier ou nouveau, le rituel paquet de douceurs manquait devant notre porte.

Plus tard, j'ai pris conscience d'une autre absence: la dégoulinade de notes justes ou fausses, ces couinements de bémols impossibles à atteindre, cette plainte continuelle du sax ténor, avaient cessé. Je tendais l'oreille, persuadé que les disques cadencés de naguère prendraient la place de l'instrument. Pas un tango, pas une rumba. La radio? Les téléviseurs? Pas une voix, pas un grésillement. Tout bruit suspendu.

J'ai entrepris de flairer les alentours. Est-il passé par ici? Est-il passé par là? Près des portes, le long des couloirs, dans les escaliers, au-dessus des fenêtres? Pas la trace d'un relent. Ce bouquet caractéristique que je humais chaque jour s'était évaporé.

Notre voisin s'était-il absenté plus longtemps que de coutume? Jamais il ne prend de vacances, nous ne lui connaissons pas de famille, pas d'ami proche, mais que savons-nous de lui vraiment?

Après trois jours, notre inquiétude nous a menés chez lui. Célestine a frappé plusieurs coups à sa porte, j'ai cherché la serrure, des interstices (les petits trous que j'avais fait creuser quelques mois plus tôt avaient été soigneusement rebouchés). Le noir et le silence.

Était-il mort, tout seul, dans son coin ? Nous aspirions profondément l'air autour de sa taupinière. Un corps en décomposition ? Non, un courant d'air pur et froid. Il nous est venu l'idée de lui téléphoner : nous avons découvert que cet homme-là ne possédait pas le téléphone...

Les jours de paix se suivaient, mais, au lieu de nous réjouir, ils installaient une sorte de gêne entre Célestine et moi. Autant j'avais souffert, pour parler en médecin, d'un sentiment obsidional, me sentant prisonnier de la présence invisible de mon voisin, de ses gâteaux que je ne voulais pas manger, de son instrument de musique dont les canards me hérissaient, de ses odeurs de cave abandonnée, autant la levée du siège me laissait démuni et vide.

Célestine elle-même, si diserte d'ordinaire, laissait traîner la conversation : pas une citation à-propos, aucune pensée d'équilibriste. Nous restions devant nos assiettes vides, dans une pièce assombrie, éclairée par les seuls lampadaires de la rue. Célestine a même laissé passer, une fois, sans penser à s'y rendre, son cours de danse.

Après plus de deux semaines, un soir, nous avons entendu heurter au carreau sous nos fenêtres. Je bondis, j'ai le temps de voir un couple aux cheveux blancs déposer un grand carton et repartir aussi vite au volant d'une 4 L défraîchie et cabossée. Plus tard, je n'ai pas retrouvé ce carton et rien n'avait changé derrière les barreaux de mon voisin : son sous-sol restait sans lumière, les soirs de février. Sans lumière et silencieux.

Deux jours encore ; on frappe de nouveau au carreau. Je me précipite : pas de 4 L, pas de têtes chenues, mais une grande dame, d'une soixantaine d'années, élégante, fourrure de qualité, cheville mince, gants noirs sur des mains menues, teinture blonde, fard légèrement appuyé... Elle attend un peu, puis se courbe pour passer le portillon. Je vais guetter sa sortie.

Je guette une bonne heure. Sa tête jaune aux cheveux clairsemés émerge sous ma fenêtre, se tourne vers la gauche, vers la droite, hésite encore, s'ébroue dans son col fourré et se jette en avant.

Ouvrir, crier :

— Madame !

Elle se retourne, interrogative, hoche la tête, quand je me présente, m'explique, la sollicite.

— Pas comprends bien, dit-elle enfin, pas parle bien.

L'Allemande ! Celle dont le maître d'hôtel niait l'existence, cette prétendue invention d'un mythomane, je l'ai sous les yeux ! La grâce des paquebots ! La jeunesse de M. Émile ! Sa danseuse de luxe ! Celle pour laquelle je devine qu'il a été un peu gigolo... Et elle ne me comprend pas !

Je ne connais pas l'allemand : vite, parler anglais. J'ai l'habitude... les marins... les étrangers... alors une belle dame étrangère...

— *What's the matter with Mr Émile* ?

Mon entrée en matière avec tous les malades de la terre. Elle secoue la tête avec un sourire d'impuissance, me fait un signe d'adieu délicat, prend à gauche, vers la gare j'imagine, se ravise, quart de tour, le visage vers moi, triste et doux :

— Feiller lui !

Elle trottine dans sa fourrure et dans le froid ; je la suis des yeux jusqu'à ce qu'elle se perde dans l'ombre.

Célestine ne voudra pas croire à cette apparition ; elle mettra mes propos sur le compte de notre désarroi présent. Pourtant, cette Allemande est bien venue, M. Émile est comme toujours sous nos pieds, dans des conditions qui m'échappent. Et j'ai reçu de cette femme mission de veiller sur lui. Pourquoi ? Pourquoi ? Il me faudrait aller le voir. N'ai-je pas fait de multiples tentatives depuis près de trois semaines ?

Peut-être doit-on frapper au carreau, seul code qui permette aux initiés l'accès à mon voisin ?

*

— Géo, c'est incroyable ! crie Célestine à peine rentrée. Tu ne sais pas qui je viens d'apercevoir ? Le voisin ! Le voisin !

Elle étouffe : le voisin ! Le voisin qui est devenu pour nous, ici, une entité. Présent ou absent, il est LE voisin, ou mieux, le Voisin.

Je ne fais pas l'étonné, oui, le voisin est chez lui, il n'a jamais cessé d'être chez lui.

— Mais comprends-tu ce que j'ai dit ? reprend-elle. Je l'ai vu, et même tout nu, ou presque, je ne sais pas bien. Une de ses fenêtres était entrouverte, je me suis penchée, il était debout ; il s'est figé quand je suis apparue. Je l'ai à peine reconnu : il a coupé sa barbe ; il a des dents larges, espacées et déchaussées, on ne voit que ça dans sa figure, tant il est maigre, d'une maigreur plus effrayante que jamais, les joues creusées, le torse et les épaules décharnés. Il avait peut-être un slip, mais c'est tout. Effrayant, je te dis. Nous étions tout bêtes l'un devant l'autre, de chaque côté de sa grille, immobiles. Ça n'en finissait plus, comme sur une photo. Je n'arrivais pas à détacher mon regard de lui. D'un seul coup, il s'est rejeté en arrière, dans le noir de la pièce. J'ai pu me décrocher de sa fenêtre, je me sentais libérée. Mais quelle vision !

Nous avons décidé de lui rendre visite, de frapper au carreau à notre tour.

Il ouvre sa fenêtre ; il est habillé ; ses dents font, en effet, une barrière branlante dans ce visage émacié, ses rides, sur son front, ressortent en bourrelets bien nets.

— Je m'excuse pour la dame, dit-il en tournant vers Célestine des yeux que l'amaigrissement fait paraître plus gros, mais je commence juste à supporter les vêtements. Ce que j'ai eu ? Un sale virus, un zona.

Trois semaines d'un zona terrible. À rester à poil tout le temps, impossible de sentir quoi que ce soit sur la peau. Pas une étoffe douce, rien. Alors, pour dormir, pensez ! Et pas question de sortir. Un mal de chien. Bouger, ça faisait mal, les plis de la peau qui se frottaient... Ne pas bouger, ça vous rend dingue. Et avec ça le goût à rien. Pas d'appétit... rien regarder... rien écouter... trop pénible... Jamais connu ça avant, vous pouvez pas imaginer. Ça vous dévore tout vif, c'est du feu, ça vous lâche plus.

— Vous vous êtes soigné au moins ?

— J'ai eu un traitement au début, mais toubib et charlatan, c'est pareil. Enfin, maintenant, je suis tiré.

— Il fallait nous appeler, au moins nous répondre, quand nous avons frappé à votre porte.

— Dans mon état ? Dans ma tenue ? Et puis, j'aurais pas eu moins mal. Excusez, madame, je vous l'ai dit, j'avais envie de rien. Et j'aime pas déranger. Vous, vous êtes si occupés. De toute manière, mon oncle et ma tante venaient me ravitailler de temps en temps, mais j'avais pas d'appétit, je vous dis.

— Et cette dame ? ai-je murmuré.

— Quelle dame ?

— La dame avec l'accent étranger...

— Ah, oui... vous l'avez vue ? Rien... la famille... L'essentiel, c'est que je sois tiré, pas ?

Il a dit merci en fermant la fenêtre. Il était malade et nu. Guéri et rhabillé, il préserve ses secrets, il nous échappe encore.

*

Le lendemain, sa radio hurlait des chansons ; ses deux téléviseurs se répondaient ; ses musiques préférées, les plus dansantes, remontaient jusqu'à nous ; le saxo descendait la gamme. Le voisin était bien guéri, il rattrapait le temps perdu, il nous claironnait : je suis là ! Je suis là !

Nous avons retrouvé notre gaieté en perdant notre paix. Nous n'avons pas retrouvé de gâteaux sur notre paillasson. J'ai supposé que l'Allemande, alertée par l'oncle et la tante, était venue secourir son ancien partenaire dans le besoin. Elle avait dû déposer sur sa table quelques gros billets qui le dispensaient pour l'instant de ses expédients habituels.

Chacun vend ou rachète son passé comme il peut, les déserteurs, les danseurs et les dames du monde.

XV

Deux saisons se sont écoulées, depuis la maladie de mon voisin, et je n'ai pas jugé utile de faire état des menus événements de cette période. Je me contenterai d'évoquer ici sa lente convalescence, ses métamorphoses nouvelles : joues qui se remplissent, se couvrent d'une barbe plus blanche, plus folle, toujours plus artiste, catogan devenu queue-de-cheval, lunettes dorées pour lire ses partitions plus à l'aise, m'a-t-il confié, progrès sensibles, sans être spectaculaires, dans la maîtrise du saxophone. Nos chemins se croisent sans heurt, de temps en temps. Il me rappelle que je lui dois des chapitres de ma thèse ; je lui promets l'œuvre complète sans cesse différée. Il me redit sa confiance, je l'assure de mon dévouement à la cause. Nos conversations se répètent à l'identique, un véritable exercice de style. Nous travaillons nos figures comme deux danseurs à l'échauffement. Nos salutations ont pris l'allure d'un cérémonial oriental : approche prudente, révérences mesurées, une gaieté figée, sans effusions, et, pour finir, nos formules de convention, arrondies dans nos bouches, épurées. Demeure, entre nous, silencieux, ce passé trop bruyant.

Comme médecin, j'avais à subir mes désagréments habituels : le flux irrégulier des représentants anglophones de la marine marchande internationale ; les remontrances incessantes de mon administration de tutelle, qui me suspecte de négligence, depuis l'affaire du marin polonais.

Ma vie avec Célestine, sans être désastreuse, n'en était pas moins imperceptiblement perturbée. Je croyais deviner en elle comme une froideur ; je l'irritais parfois par mes reproches voilés, mes interrogations ironiques sur ses liens avec son partenaire privilégié, le disert maître d'hôtel (les hommes sont si rares, dans ce milieu, me répétait-elle). Je désespérais de retrouver avec elle l'exaltation d'un soir sur notre parquet glissant.

*

Une fois, pour couper court à mes récriminations, Célestine m'a invité à assister à l'une de ses leçons. Perversité supplémentaire de sa part ? Se montrer avec l'ennemi ? Dans le doute, ne t'abstiens pas.

Me voici dans la cage des grands fauves. Le maître d'hôtel a le sourire carnassier et l'art de la courbette. Un vrai professionnel de la courbette : toute une vie passée à saluer poliment le client et, arrivé à l'âge de la retraite, il salue on ne sait quel public imaginaire, admiratrices certaines, possibles admirateurs. Et il me donne du « docteur » à n'en plus finir ! moi qui déteste ça ! Docteur ! Docteur ! Une dernière, mais profonde courbette.

Je ne peux pas nier qu'il ait de la prestance (il se pavane ?), un corps fin et robuste (une complexion trop nerveuse ?). Oui, oui, un homme bien conservé, Célestine ne mentait pas. Mais pourquoi s'était-elle gardée jusqu'à présent de me signaler la présence, sur l'aile gauche de son nez, d'une verrue rebondie ? Je veux rester sur cette impression : ce petit maître, jamais courbatu de ses courbettes, si prestigieux aux yeux de Célestine, est un être tristement verruqueux.

En place, mesdames et monsieur : exercices, assouplissements, reprises, exhibitions... Admirons. Admirons le zèle des jambes, le sérieux des visages. Seul le maître d'hôtel affecte la décontraction agaçante de l'homme trop sûr de lui ; il semble jouir ici de privilèges (obtenus à force de servilité ?) : on lui passe sa dissipation et son enjouement perpétuels.

Des couples de femmes se sont formés sur la piste, déambulent avec une gravité énamourée ; d'autres serpentent plus en souplesse, dans une suite inexplicable de pas ; ceux-là jettent leurs dernières forces dans un mouvement bondissant, comme si la mort les attendait au terme de leur enchaînement, pendant que le maître de danse compte inlassablement et reprend chacun d'une voix inflexible.

Belle discipline dans le plaisir, ai-je pensé, un peu effrayé. Célestine, les membres déliés, une fureur contenue dans le regard, s'est accordée aux mouvements aisés du maître d'hôtel. Leur image se multipliait dans les grands miroirs où chacun s'étudiait, se surveillait : fiers animaux aux cuisses tendues, aux reins creusés, aux fesses saillantes. Les deux partenaires, comme pour apaiser mes craintes, ai-je encore pensé (ou bien pour aiguiser leur excitation masquée ?), gardaient leurs distances : jamais un frottement ; au moindre rapprochement, une esquive ; leurs mains seules se touchaient dans ce perpétuel va-et-vient cadencé, calculé, commandé par la voix métallique du professeur. Je me suis pris, soudain, à haïr à la fois ces mains trop bien jointes et ce vide entre les deux danseurs, que je soupçonnais chargé d'ondes douteuses.

— Rassuré ? m'a demandé Célestine à la sortie du cours.

Je me rappelle avoir passé une longue partie de la nuit qui a suivi à serrer ma peau contre la sienne. Je ne voulais pas laisser le moindre espace entre nous. J'aurais voulu sentir jusqu'au relief de ses pores, absorber toute leur sueur, jusqu'à épuisement, éprouver comme jamais la proximité de nos chairs nues. J'étais pris d'une frénésie maladive ; Célestine, un peu surprise, attribuait cette ardeur renouvelée à sa prestation de la soirée. Oui, bien sûr… les effets de la danse sur moi… déjà éprouvés… imparables… En vérité, ce que je n'osais pas lui dire (qu'elle allait deviner peut-être), c'est que je cherchais à reconquérir ma place auprès d'elle, mon territoire perdu. Je chassais les fluides maléfiques qu'un valseur trop appliqué à mon goût avait dû répandre à notre insu.

Célestine croyait que nous faisions simplement l'amour. Oui, oui, nous le faisions, mais (doux poison de la danse et tristesse des sentiments faussement partagés) j'éprouvais l'étonnante sensation de la décontaminer, comme si elle avait été exposée à une irradiation prolongée.

*

À l'approche de l'été, les leçons de danse, pour mon soulagement, ont été suspendues. Adieu maître d'hôtel et tes ondes délétères ! Oublions tes mollets trop noueux, ta courtoisie dangereuse !

Je retrouve la simple joie d'être avec Célestine, l'innocence d'avant notre emménagement, d'avant tous nos désordres. Sortir ensemble ? C'est si bête, et c'est devenu si rare : profiter d'un jour de juin sans vent, où les femmes auront les jambes nues. Tiens, on commémore le débarquement allié sur les côtes normandes ; grand tralala dans les rues, fondons-nous dans la foule flâneuse. Une dernière réserve de ma part : on dit la ville pleine de matelots américains (des bâtiments de la flotte 44 ont accosté, visites guidées, flonflons en l'honneur des libérateurs) ; j'allais mieux aujourd'hui, la seule vue d'un marin risque de me donner le mal de mer.

— Ceux-là sont bien nourris, me dit Célestine ; de beaux soldats dans des uniformes bien repassés, l'avant-garde des Nations libres, pas besoin de les examiner avec ton œil clinique.

Vive la joie ! Je consens à tout. Je me laisse même conduire jusqu'à un paquebot à quai, le *Queen*

Elisabeth II. Je manque défaillir, quand je vois dépasser du bastingage avant une douzaine de têtes animées et curieuses, minuscules au sommet de cette masse de fer monumentale : des marins asiatiques, désœuvrés pour l'instant, serrés les uns contre les autres, rieurs. Au gré des menus incidents ou mouvements de la foule, leurs visages se tournent ensemble de droite ou de gauche. Un hélicoptère nous survole-t-il, leurs regards s'élèvent en chœur, suivent la courbe de l'appareil et, dès qu'il a disparu, reviennent au spectacle du quai. Célestine me passe un bras autour de la taille :

— Lundi matin, tu les verras peut-être à ton cabinet pour un torticolis collectif, mais, pour le moment, tu n'as rien à craindre, on distingue à peine le bout de leur nez !

Allons maintenant nous extasier comme tout le monde, avenue Foch, devant les guimbardes 44 exposées, les vélos, les chars d'époque, les coucous 44. Des septuagénaires rappellent gaiement à leurs maris leurs baisers d'allumeuses 44 à l'adresse des G.I's 44. Bonhomie de la foule, communion de la foule, et nous dans la foule. Soudain le jazz 44 s'y met, un petit orchestre ici, un grand ensemble là, l'atmosphère de la Libération… l'Amérique victorieuse et ses rythmes nouveaux ou retrouvés…

Les marcheurs bons enfants se regroupent ; ça sonne bien, on esquisse des mouvements syncopés. J'entends à côté de moi le tintement soudain plus vif des nombreux bracelets de Célestine (bracelets qu'elle tient de sa grand-mère et, pour quelques-uns, de moi, qu'elle portait séparément autrefois, et maintenant, curieusement, depuis qu'elle a appris à danser, tous ensemble. Ses bras en sont couverts : une des menues métamorphoses auxquelles j'avais assisté ces derniers mois). Les musiciens encouragent les maladroits, appellent les timides à ne pas être en reste. Ça prend doucement dans la chaleur montante. Les allumeuses 44 sont toujours là, elles en remontrent aux plus jeunes, épanouies, la joie 44 sur les visages et dans les pieds. L'épidémie gagne, on trépigne, on se serre dans des rues larges, des gamins provoquent des bousculades, on s'anime, on gigote. C'est l'anarchie et pourtant un mouvement unique se dégage, comme une ondulation de serpentin jeté dans la mêlée, qui se déroule, se déroule, mais reste solidaire. Nous avons pris notre place dans le grand tremblement en cours, ballottés, agrippés l'un à l'autre, heureux dans le vacarme.

À la première pause, notre groupe s'est disloqué. Allons écouter ailleurs, danser ailleurs.

— Tiens, un charleston, là-bas, dit Célestine.

Nous nous approchons... difficile... trop dense... Ici on bouge sans vraiment danser. Le charleston? Qui sait encore danser le charleston? On rit aussi, on se pousse du coude:

— Vous les voyez, ceux-là?... Ils y vont fort... Ils en connaissent un rayon, on dirait... Vise un peu la grosse... L'a peur de rien!... Et le gars?... Un vrai tordu! Mais il a bouffé du lion...

Célestine se dresse sur la pointe des pieds; de si loin, on a du mal à distinguer qui que ce soit dans cette multitude, mais ne serait-ce pas Jacques Émile qui fait des passes de mains frénétiques, penché sur ses genoux?... Non, celui-là est plus gaillard que lui. Et la partenaire tout aussi excitée, de dos, n'est-ce pas l'une des deux femmes en imperméable qui avaient emmené un jour notre voisin dans leur petite voiture? Je m'abuse sans doute: une vague ressemblance, une même corpulence, rien de plus. Si nous pouvions nous approcher... Cette masse de cheveux grisonnants qui bouffe autour de la tête, comme une queue de paon à la parade, je devrais l'identifier avec certitude... Il est vrai que M. Émile s'ingénie à changer d'allure avec les saisons. Protée en personne, ai-je pensé, insaisissable, mais ici, si c'est lui, saisi de folie. Le couple ignore la foule qui le presse, ricane ou s'ébahit; l'homme empoigne la femme, la projette en arrière, la rattrape, la ramène à lui, virevolte. Je le vois de dos : cette bosse naissante, c'est bien lui ? Un type devant moi :

— T'as vu le Quasimodo ? Un vrai sauvage !

Un véritable farfadet, c'est certain, il s'en donne. Si c'est mon petit voisin tout gris, secret, le voilà métamorphosé en exhibitionniste sans scrupule, exalté, disloqué, abandonné à ses transes : il s'offre la secousse finale, en même temps que l'orchestre s'arrête. La masse des spectateurs l'engloutit dans un grand cri, mêlé d'applaudissements et de rires moqueurs.

On se répand, on se disperse, Célestine ? Célestine ? Les bracelets ne s'entrechoquaient plus à ma droite, depuis un bon moment, et je ne m'en aperçois que maintenant. J'ai perdu ma Célestine ! Encore et toujours ! Et la foule m'emporte, vers quel autre orchestre ? Étouffante, la foule, pressée, place, place ! Où trouver ma Célestine ? Dans ces heurts, dans la grande bagarre qui commence, je cherche l'improbable sortie. On fête la paix retrouvée, ai-je pensé, et on me marche sur les pieds. J'étais si bien, avec Célestine, cet après-midi, et on me l'arrache et on m'écrase. La communion des danseurs, dans la paix retrouvée ! Je suis prêt à en reparler ! Une si belle journée, si bien commencée : la paix 44, après les crépitements de la guerre ! On fêtait la paix ! Mais non ! On fêtait la nostalgie de la guerre. La danse, ai-je pensé encore, c'est la guerre poursuivie par d'autres moyens ! C'est toujours la guerre qu'on aime, rien que la guerre !

— Tu m'as l'air bien abattu, m'a dit Célestine, surgie par-derrière, en me prenant de nouveau la taille.

Je reviens à la vie, en laissant de côté mes réflexions peu pacifiques : mettons-les sur le compte d'une exagération passagère.

— Où avais-tu disparu ?

— Je voulais savoir si c'était bien M. Émile qui se déchaînait devant le podium.

— Et alors ?

— Ce ne pouvait être que lui, mais maintenant, je ne suis plus sûre de rien, il s'est comme évaporé.

L'avons-nous vu vraiment ou bien une maladie inconnue nous le fait-elle voir partout ? Il nous reste cette image floue, mais si vivante, d'un homme qui dansait comme un vieux faune. Notre taupe sortie de son sous-sol ? Qui se brûlait la moustache et s'accordait, pour une fois, un plaisir solaire ?

Nous avons quitté la fête, serrés l'un contre l'autre, comme deux soldats sous les obus, enlacés et moites dans la chaleur de juin. Le bruit de grelot, désormais familier, des bracelets dorés ou colorés, accompagnait notre retour. Surtout ne plus nous perdre.

XVI

L'été (et notre éloignement de quelques semaines) a eu sur nous l'effet anesthésique attendu. Nos esprits pacifiés se sont relâchés sans arrière-pensée.

Septembre nous ramène chez nous, brutal. Célestine reprend ses cours de philosophie et bientôt ses leçons de danse ; moi mes fonctions au Centre médical. Des marins grecs, dont le navire est immobilisé à quai, placé sous séquestre, depuis des mois, pour des raisons financières, me demandent mon aide, mélangent les saisons, *spring*, *summer*, pour me dire leur sentiment d'abandon, leur colère (qu'ils retournent contre moi, faute d'un autre interlocuteur) et les maux de ventre qui en résultent.

Entre deux consultations tonitruantes, on m'annonce un inconnu, descendu d'aucun bateau, et qui exige pourtant de me rencontrer. Une silhouette se faufile dans le cagibi mal éclairé et envahi de dossiers périmés qui me sert de cabinet.

Il m'a trouvé ! Et comment ? Et pourquoi ? Le médecin, tenu en toutes circonstances de garder son sang-froid, perd pied un instant : un éclair me voile les yeux. Une ombre mince roule jusqu'à mon bureau, se dresse au-dessus de la lampe toujours allumée. Il a le visage fermé, les narines frémissantes.

— Je voulais me rendre compte par moi-même, dit M. Émile.

Cette parole me remet d'aplomb ; la rougeur que je sentais sur mes joues me quitte d'un coup. Je retrouve le petit bonhomme gris, que le soleil de l'été a épargné. Je le vois aussi pâle qu'au sortir de sa maladie. Sa moustache, plus épaisse et longue, couvre ses lèvres, ses dents, et bouge à peine au souffle des mots: ses phrases sortent de sa bouche invisible comme d'un ventriloque que je ne pourrais plus arrêter:

— Il disait la vérité et vous êtes un menteur. Je n'aurais jamais cru. Je croise Lucien, rue de Paris, au mois d'août, Lucien Cazes, un collègue d'autrefois. Oh, on était fâchés depuis des années – je lui avais soufflé une bonne place à l'époque, on avait beau se connaître, dans le métier de serveur, pas de quartier. Bon, il me disait plus bonjour, quand je le rencontrais. Et puis là: « Jacques, qu'il m'appelle, tu te souviens de moi ? » Si je me souvenais de lui ! « Tu te souviens comme on dansait ? Je m'entraîne toujours, tu sais, bon pied, bon œil, ça conserve. Eh bien, imagine-toi que j'ai entendu parler de toi à mon cours, une voisine à toi... La femme d'un docteur... » « La femme d'un docteur ? je lui dis. Je connais pas de docteur chez moi et encore moins de femme de docteur. » « Si je te le dis, il me répond, c'est la femme qui me l'a dit, une fille assez douée entre parenthèses. D'ailleurs, je lui ai raconté des souvenirs... » « Des souvenirs ? je dis. Quels souvenirs ? »

Je voulais pas le croire. Son histoire de femme de docteur, ça tenait pas debout.

« Elle prétend que son mari est docteur, je dis à Lucien, parce qu'il est chercheur. Il fait une thèse, pour un doctorat. » « Non, non, il me répond, docteur: médecin ! »

Alors j'ai fait ma petite enquête sur vous. Rien à la page *Médecins*. Lucien se trompe, je me dis, il est devenu gâteux, un médecin doit forcément être dans l'annuaire, sinon comment il vit ?

Là-dessus, jeudi, vous êtes rentré de vacances, je vous suis, vous entrez dans ce grand bâtiment des gens de mer. Il cherche peut-être des documents là-dedans, j'ai pensé, on sait jamais. Et vous êtes pas ressorti. Vendredi, je vous suis encore, et vous y retournez. J'attends un peu et je demande à quelqu'un qui montait l'escalier s'il vous connaissait. « Non, pourquoi ? » il me fait. J'étais soulagé, j'allais repartir, je demande quand même à une dame qui sortait, avec l'air d'être de la maison. « Le docteur ? elle me dit. Il doit être en consultation. »

Tout samedi, tout dimanche, j'ai pensé. Vous étiez au-dessus de ma tête. Et son histoire de thèse ? je me disais. Il me roule dans la farine. Et puis après : non, c'est impossible, un docteur qui ne dit jamais qu'il est docteur, c'est rare. Ça n'arrive même jamais. C'est bien vu, docteur, personne n'en a honte. Ou alors, c'est pas un médecin normal, il est pas tout à fait médecin. Un médecin, ça ne travaille pas dans une chose internationale de marins comme ça.

Aujourd'hui, j'ai voulu en avoir le cœur net. Je vois clair maintenant. Lucien avait raison. Et moi j'ai cru tout ce que vous m'avez raconté. Votre travail sur les bals à travers les âges, c'était du vent, alors ? Je comprends pourquoi vous ne m'avez jamais rien donné à lire ! Ce que j'ai pu être bête ! Toutes ces promesses que vous m'avez faites ! Je parlerai de vous… je tiendrai compte de vos suggestions…

J'ai interrompu ici mon voisin :

— Jamais je ne vous ai fait de telles promesses ! C'est ce que vous vouliez entendre, pas ce que j'ai dit.

— Tiens donc ! Je vous dis, moi, que vous me l'avez promis. J'avais confiance en vous. Et votre femme qui va prendre des cours de danse, sans m'en parler. C'est très bien, ce qu'elle fait. Au moins, elle, elle s'intéresse. Mais je pouvais lui donner de meilleures adresses que ce cours où va Lucien. En plus, comme ça, elle ne l'aurait pas rencontré, il ne lui aurait pas raconté d'âneries sur mon compte. Parce que je sais qu'il ne s'est pas gêné, Lucien. Je lui en veux. Je vous en veux aussi. À mort. Tout s'arrête, alors que ça devait continuer. J'aimais croire en mon voisin. En qui voulez-vous que je croie, maintenant ? Non, non, non, je ne comprendrai jamais toutes ces cachotteries, ces inventions, ces mystères que vous faites ! Ça me dépasse, je sais pas ce que je vous ferais…

Il s'anime sous mes yeux, s'appuie à mon bureau, tend un doigt vers moi. Il tremble, il est pris de frissons, sa voix grave se dilue dans l'aigu. La colère le décompose et le rend menaçant. Je devrais l'apaiser, tout reprendre au début, me confesser, lui donner raison. L'humilité, un bon repentir, rien de tel pour amadouer une victime : m'asseoir, l'œil défait, sur mon fauteuil, me soumettre, lui donner le sentiment de triompher, rien de plus simple.

Je ne comprends pas comme je suis fait : armé de si belles résolutions, convaincu de mon devoir d'humanité envers les faibles, pourquoi me suis-je laissé aller à lui dire :

— Voyons, M. Émile, si on connaît UN PEU l'histoire de la danse, on est obligé de constater qu'il n'y a de bal QUE masqué. Tout le monde se déguise pour aller danser. Et pour aller vivre, donc ! Vraiment, cela m'étonne qu'un amateur comme vous n'ait pas encore compris une vérité pareille. Un principe de base.

Dans le péril, j'ironise, mon péché habituel.

— Vous voulez encore me faire avaler que vous faites votre thèse sur le bal ?

— Ce n'est pas parce que je suis médecin que je dois me l'interdire, au contraire.

Il s'étrangle, fait basculer ma lampe qui s'éteint. J'entends crier dans la pénombre, de plus en plus fort, de plus en plus près :

— Faux thésard ! Bavard ! Menteur ! Et c'est pas tout : casseur de porte ! Pire que voleur ! J'ai pas peur de te le dire, tout docteur que tu es. Fouilleur de poubelles, même ! Ça oui, j'en sais des choses ! Je passais là-dessus avant. Je me disais : c'est pour le bien, c'est des bonnes intentions, il s'intéresse, on va pas se disputer pour ça. Penses-tu ! Que de la méchanceté ! Faire du mal au pauvre monde, un médecin ! Faux médecin, oui ! Et quand je pense à tous les gâteaux perdus. Pas un merci, rien ! Remarque, j'en aurais pas voulu de tes mercis, mais quand même ! Malpoli ! Menteur ! Beau parleur ! Menteur !

Une secrétaire ouvre la porte :

— Vous voulez que j'appelle la police ?

— C'est ce monsieur qui voudrait me faire arrêter, dis-je avec calme. Il paraît que je suis pire qu'un voleur.

Cette nouvelle provocation m'est un aveu de ma faiblesse, la preuve qu'il m'a touché au plus profond.

— Tu sais te foutre du monde, ça oui, reprend mon voisin, mais c'est tout. Ce que tu as pu m'en dire ! Et je prenais ça pour du bon pain ! Et il se foutait de moi ! Je me souviens de tout ! Et la danse par ci, et l'art du bal par là ! L'art ! Pas un mot de vrai là-dedans !

— Vous vous trompez, je vous jure...

— Ah ! Ne jure pas ! Je peux plus te croire. D'ailleurs, ça pouvait pas aller. Même si tu faisais vraiment une étude sur les bals, toute ma vie, quoi, ça pouvait pas marcher. Ce qui va pas en toi ? Tu sais pas danser. Ça se voit, tu es incapable de danser, tu sauras jamais. Et si tout est de la danse, sur cette terre, si toute la vie est un bal masqué, comme tu dis si bien – un bal masqué ! – et que tu sais pas danser, où est-ce que tu iras sur cette terre ? Dis-moi un peu !

Sa voix pousse de plus en plus à l'aigu, atteint des stridences insoutenables, et se brise. Plus un mot ne sort de sa moustache ; des quintes de toux, profondes, douloureuses, la toux d'un grand fumeur ; il est secoué d'avant en arrière.

— Vous devriez consulter un médecin, ai-je laissé tomber malgré moi.

Il a ricané dans sa toux.

— Il n'est pas pensable que nous en restions là, ai-je ajouté. Après tout, nous sommes et nous restons des voisins. Nous sommes forcés de nous accommoder l'un de l'autre, et d'oublier ce fâcheux épisode.

— Belles phrases... belles phrases... a-t-il hoqueté, en quittant la pièce, la main droite sur la poitrine, le souffle coupé.

Le dernier marin grec qui s'est présenté n'a pas eu le loisir de s'étendre. Je n'arrivais pas à démêler si la haine qui me serrait le ventre s'adressait à lui, à ses semblables, à mon voisin, ou à moi.

XVII

Je m'efforcerai, dans le désordre mental qui est à présent le mien, de rassembler ici des événements – non : plutôt des aspects de mon existence... enfin... plus exactement, de l'existence de mon voisin... ou, pour dire la vérité, de nos existences désormais indémêlables. Je les rassemblerai, je ne les ordonnerai pas : ils se chevauchent ; et je ne suis pas sûr d'en donner une interprétation bien juste.

Je n'ai pas revu, depuis notre dispute au Centre médical, mon voisin. Nous nous évitons soigneusement ; nos portes respectives claquent à distance, comme des alarmes, et nous mettent à l'abri l'un de l'autre ; nous hâtons ou retenons notre pas, selon l'occasion ; nous portons l'art de l'esquive à un degré inégalé. Les coups qu'il me porte sont, comme toujours, d'un autre ordre ; je l'entends plus que jamais : je considère même comme une mesure de rétorsion de sa part l'augmentation sensible du volume sonore sous mes pieds. Les airs dansants, déjà fréquents, sont devenus la matière permanente de nos vies, nuit et jour. Une longue insomnie. Par un effet curieux, ces rythmes effrénés ont fini par me donner le sentiment de l'immobilité, d'un continuo que rien ne pourrait arrêter, ni mes coups de talon, ni mes insultes qu'il n'est pas en mesure d'entendre. Je devrais me présenter chez lui, engager une nouvelle bataille, sans souci de le ménager. Célestine m'en dissuade.

La situation a ceci de frappant et d'inquiétant que je semble être le seul à en souffrir encore. Célestine ne se montre plus du tout incommodée par ce que j'appelle devant elle un charivari de kermesse. Si je prétends que les bruits venus de ces bas-fonds atteignent des sommets rarement entendus, elle m'assure que j'exagère. Elle trouverait même que notre voisin fait preuve de plus de mesure. Là où je perçois une fanfare carillonnante, elle se laisse bercer par un tranquille fond musical. Je m'imaginais avoir retrouvé une entente indéfectible avec elle, il me faut déchanter.

Je reconnais que son oreille s'est affinée. Des mois de cours ont fait d'elle une experte: quickstep, dit-elle, à certains moments; puis: samba, ou: cha-cha-cha. Nous ne parlons plus la même langue. Je me sens, moi, victime de brutalités sonores, comme si une longue tresse de sons tonitruants me fouettait les oreilles; comme si une foule se pressait pour danser dans cette solitude; comme si je baignais, à gros bouillons, dans une marmite sur le feu, et qui déborde.

— La danse, c'est l'harmonie, ose me dire Célestine, comme sortie d'une méditation.

Je prends un ton désespéré:

— On s'en fatigue. Si un homme riait de façon permanente, son rire finirait par prendre quelque chose de triste. L'harmonie éternelle me donne l'impression d'une cacophonie. Je n'en peux plus.

Je vois dans le regard de Célestine une lueur d'incompréhension qui m'effraie.

Entre-temps, et sur une période de plusieurs semaines, j'ai eu à subir d'autres désagréments: mon courrier disparaissait. S'il ne disparaissait pas, il était ouvert. Ou bien il m'arrivait de le découvrir déchiré sur le trottoir, devant la porte. Parfois, je ne retrouvais que les enveloppes vides, poussées par le vent, au milieu des feuilles. Mes soupçons se sont aussitôt portés sur M. Émile, malgré Célestine qui m'incitait à la modération, incriminait des gamins malveillants. Je ne comprenais pas son acharnement à le défendre. Sans doute, je n'avais aucune preuve contre lui, je me suis pourtant décidé à frapper à son carreau, puis à sa porte... Sans obtenir la moindre réponse... Circonstance aggravante à mes yeux... D'autant plus que les bruits de soufflerie de sa musique parvenaient, au même instant, jusqu'à moi. Si je l'apercevais de loin, je n'avais pas le loisir de le rejoindre qu'il s'était déjà enfoui, sans un regard pour moi, dans son trou, en véritable artiste de la fuite.

Je ne doutais pas qu'il cherche, par tous les moyens à sa disposition, à me faire subir les pires vexations. Célestine a tenté de me convaincre du contraire : d'autres voisins, interrogés par ses soins, déploraient la perte de lettres précieuses, attendues de l'étranger ou d'organismes officiels. J'ai protesté : une ruse supplémentaire !

*

L'affaire a pris un tour plus grave quand le propriétaire de l'immeuble m'a rendu visite un soir. Cet homme bien droit, un peu raide, a commencé par me rappeler que j'étais un locataire irréprochable, toujours ponctuel à l'heure du loyer ; puis, se frottant les mains, avec une gêne visible, après diverses circonvolutions, il m'a révélé qu'il avait reçu une lettre de M. Jacques Émile. Une lettre de plaintes, presque de dénonciation :

— Je ne vous apprends pas, m'a dit cet homme guindé, que votre bail précise bien que vous devez occuper les lieux en bon père de famille, ce dont je ne doute pas, naturellement. Cependant, M. Émile m'écrit que vous vous conduisez bruyamment, que vous marchez en permanence en chaussures sur le parquet au-dessus de sa tête. Je ne voudrais pas vous créer d'ennuis, mais pour sauvegarder le bon voisinage, il me semble qu'un tapis épais, ou une moquette, ou bien des chaussons ne seraient pas de trop. En outre, il vous accuse – et cela m'inquiète énormément – de subtiliser son courrier. Vous comprenez que cela est extrêmement grave et...

— C'est la femme de Potiphar ! ai-je crié.

— Comment ? Quelle femme ? Quel Potiphar ?

— Oui, ai-je repris, M. Émile se comporte comme la femme de Potiphar avec Joseph, l'Hébreu, en Égypte. Il refuse ses avances et, pour se venger, elle l'accuse, auprès de son mari, d'avoir voulu coucher avec elle. C'est exactement ce que fait M. Émile : il m'accuse de ce dont il est coupable. C'est du pur dépit amoureux, croyez-moi !

— Comment pouvez-vous dire une chose pareille ? s'étrangle mon propriétaire. Je loge M. Jacques Émile depuis des lustres, je n'ai jamais eu à me plaindre de lui ni de son comportement et encore moins de ses mœurs !

Mon propriétaire était véritablement indigné et prêt à me donner tort sur tous les points. J'ai dû promettre de faire moins de bruit et jurer que j'étais innocent dans l'affaire du courrier volé, dont tous les habitants de l'immeuble, ai-je affirmé à mon tour, étaient les victimes.

— Je vous en donne acte, m'a-t-il dit, en sifflant entre ses dents, et m'en vais de ce pas rassurer M. Jacques Émile et apaiser sa colère contre vous. Je tiens pardessus tout à ce que l'harmonie règne entre mes locataires.

Il a fallu quelques jours avant que les lettres parviennent toutes, et intactes, à leurs destinataires, preuve incontestable selon moi, de la responsabilité de mon voisin ; simple coïncidence, si je dois suivre Célestine.

*

À un autre moment – ce devait être bien plus tard – j'ai eu, par hasard, connaissance d'un nouvel incident inquiétant.

J'avais remarqué, depuis quelque temps, que mon voisin avait des fréquentations inhabituelles. Il n'était plus si seul que par le passé : des gaillards douteux, à mes yeux, empruntaient le portillon de service pour se rendre chez lui.

Ils n'avaient pas l'allure des chercheurs de gâteaux que j'avais rencontrés en sa compagnie, non, plutôt des semi-artistes ratés dans son genre.

Célestine m'expliquait que M. Émile faisait de la musique avec eux. Comment le savait-elle ? Par le maître d'hôtel, m'assurait-elle, qui avait de nouveau des connaissances communes avec son vieux collègue. M. Émile, selon lui, avait renoué avec d'anciens compagnons, dont certains avaient poursuivi une petite carrière dans la musique, les bals, les boîtes, les clubs de jazz... Il s'entraînait avec eux, depuis qu'il se sentait revenu à un niveau musical honorable.

Je soupçonnais Célestine de tenir ses informations de la bouche même de notre voisin. Il m'avait semblé entendre, un soir, le son conjugué de leurs voix sur le trottoir, comme s'ils menaient grande conversation. De ma fenêtre, je n'avais vu personne. Célestine rentrée, je l'avais questionnée d'une manière si pressante qu'elle avait pris un air offusqué, tout en niant avoir eu une telle conversation :

— Mais de quoi me soupçonnes-tu, à la fin ? D'ailleurs, mon pauvre Géo, tu soupçonnes tout le monde de tout, depuis trop longtemps, tu m'inquiètes vraiment, tu sais !

J'ai préféré garder le silence : Célestine, en termes à peine voilés, m'attribuait une maladie de la persécution dont je ne me sentais pas le moins du monde atteint.

L'événement qui allait suivre me confirmerait que je n'inventais pas des menaces fantaisistes.

C'était un dimanche matin, veille de printemps – je témoigne avec exactitude, sous serment s'il le fallait ; je parle en médecin, non en malade, de ce que j'ai vu et entendu.

Entendu, d'abord : les coups cadencés au carreau – le code des intimes – mais plus forts que d'ordinaire, comme frappés par une brute (mes propres vitres en transmettent la vibration), plus nombreux, insistants. Je me montre à ma fenêtre : je surplombe deux crânes penchés dans l'attente d'une réponse ; un demi-chauve, une couronne de cheveux longs tirés vers l'arrière, gominés ; l'autre grisonnant, une courte brosse serrée sur une tête large, épaisse, des épaules lourdes sur un ventre rond... Et j'aperçois, le long de ce ventre, descendant depuis l'aisselle gauche... j'aperçois, à l'instant où les deux compères se voûtent pour se glisser par la porte basse, un fusil.

Je ne mens pas, je n'invente pas, mes sens ne sont pas abusés : une carabine de chasse au canon cassé, sous le bras tranquille d'un athlète de foire !

Des hypothèses incompatibles se tressent dans mon esprit, je les repousse, les reprends, les chasse, les ressasse. Deux hommes de main viennent apurer un compte avec mon voisin ? Il ne leur ouvrirait pas sa porte. Il a des rats dans son sous-sol, les rats de nos caves le dérangent ? Des affiches ont annoncé une campagne de dératisation dans le quartier. Des mouettes ou des goélands ont fait leur nid sur notre toit et nous empêchent chaque matin de dormir ? Peut-être. C'est de moi qu'il veut se débarrasser ? Il me hait au point de m'assassiner ? Il ne ferait pas venir, en plein jour, des complices armés. Il veut me faire peur ? Il exhibe un Hercule sous mes fenêtres ?

Je me suis jeté, sans maîtriser mon geste, bras en croix, sur le parquet, l'oreille droite collée sur une latte. Mon voisin n'a pas coupé sa radio pour ses visiteurs. Elle braille et se mêle à la conversation des trois hommes. Les grosses voix se lèvent, se heurtent, s'interrompent, remontent. Une dispute ? Non, ils parlent fort, mais calmement. Le battement du sang sur mon tympan m'empêche de distinguer des mots, des phrases, avec netteté. Je suis tendu vers la moindre inflexion, bong, bang, le sang, rats ? rats ?... non, bang, bong, mouettes ? mouettes ?... mon sang, bong, bang !

C'est fini, les voix se taisent, la radio lâche une chanson, aussitôt arrêtée : la porte basse grince. Je me redresse. Vite, à la fenêtre, juste le temps de voir s'éloigner les trois têtes – chauve, rase et queue-de-cheval. Je me penche : chacun sa démarche, chacun son rire, tous les mains dans les poches. Le fusil ? Plus de fusil. Ai-je cru voir un fusil tout à l'heure ? Non, non, témoin digne de foi, diplômé, en possession de toutes ses facultés : l'arme est sous mes pieds, ses chevrotines me sont destinées. Tout doux, Géo, tu te montes la tête, tu donnes dans l'épopée, la tragédie : tes meurtriers n'iraient pas arroser ta mort avant leur forfait. Les rats, les goélands, les nuisibles, voilà les seules victimes possibles d'une carabine de chasse dans un immeuble bourgeois. Rassure-toi, Géo.

Mes mains en tremblent encore.

*

— Quelle histoire ! ai-je dit, plus tard, à Célestine.

Et j'ai fait, devant elle – alors qu'elle dévorait son dîner et que je ne touchais pas à ma pintade au miel – la somme de mes terreurs.

— La peur est l'ennemie du sage, m'a-t-elle répondu.

Et elle entreprend de me démontrer, *more geometrico*, l'absurdité de mes craintes. Propositions, démonstrations, corollaires, scolies... tout y est passé... J'ai dû subir l'attaque jusqu'à son dessert.

Selon elle, M. Émile n'aurait pas réclamé à des comparses un fusil dans un but quelconque. Non, il se serait contenté de récupérer une arme personnelle, prêtée à des amis pour un usage inconnu. En tout état de cause, je ne pouvais être visé. Des preuves ? Elle m'a affirmé que le père de notre voisin était, dans l'entre-deux-guerres, un jeune valet de ferme qui avait dû « monter à la ville », comme beaucoup, pour s'engager dans l'industrie. Ce citadin malgré lui avait gardé la nostalgie de sa vie à la campagne, en particulier de la chasse, des canards dans les marais, des gabions. Il était mort jeune, laissant le petit Jacques orphelin, à la fin de la guerre. La carabine de chasse était tout ce qui restait à M. Émile de ce père disparu.

Je me suis étonné d'entendre Célestine décrire avec de telles précisions les origines et les goûts d'un homme jusqu'ici inconnu. Elle savait aussi qu'une tuberculose mal soignée avait emporté la mère peu de temps après. C'est le maître d'hôtel, soutient Célestine, qui lui aurait transmis ces informations ; il aurait le souvenir d'évocations, par notre voisin, de ce père grand chasseur, assertion à laquelle je refuse de souscrire. Pour moi, Célestine ne peut tenir de telles confidences que de la bouche même de M. Émile. Pourquoi ne me l'avoue-t-elle pas simplement ? Pourquoi me cache-t-elle ces conversations privées ? Et pourquoi les poursuit-elle, alors que cet encombrant personnage m'est devenu hostile ? Je n'ai pas osé formuler mes questions à haute voix : je crains les réponses. Qu'il me suffise de savoir que M. Émile n'a pas l'intention d'user de son arme contre moi, conclut Célestine.

Je révérerai longtemps l'ancienne philosophie passée au tamis de Célestine : elle fait d'un fusil pointé sur moi un tendre souvenir d'enfance et le symbole aimable de la piété filiale. CQFD.

J'ai entamé ma pintade.

*

Je n'en ai pas fini avec mes contrariétés ; je dois mentionner un dernier incident qui m'a semblé le comble de la provocation.

Je bénéficiais d'un moment de répit, ce dimanche après-midi. Un silence ténu s'éternisait. Le voisin était-il sorti ou assoupi ? Une vraie joie. Célestine lisait les divagations de ses élèves sur un texte de

Leibniz, moi celles d'un de mes confrères, ancien condisciple, dans une revue médicale qu'il m'avait adressée.

Et puis… ce ronronnement soudain… bientôt un ronflement… croissant… des crépitements… des craquements de bois… une chaleur… et des lattes du parquet Versailles qui noircissent sous mes yeux… une flamme enfin…

Je me précipite, je laisse de côté les questions digestives, Célestine quitte Leibniz, nous crions au feu, aspergeons le plancher. Les pompiers ne tardent pas. M. Émile est dans la rue. Tout excité. Je le soupçonne d'avoir mis le feu chez lui pour me griller au-dessus. Je ne vois pas d'autre explication. Nous nous adressons la parole pour la première fois depuis des mois, pendant que les pompiers étouffent ce qui n'était, disent-ils, qu'un début d'incendie : une installation électrique défaillante, réalisée, à moindres frais et en dehors des normes, par M. Émile lui-même. Il était rentré chez lui juste à temps pour éviter la destruction de l'immeuble. Il se vante de ce retour opportun comme d'un exploit inouï. Il pirouette au milieu de la troupe des badauds attirés par la voiture rouge et l'espoir d'une catastrophe, il va de l'un à l'autre, parlant fort, comme un homme bien éméché.

De cet épisode, je garde d'autres raisons de lui en vouloir. Quand il s'est agi de réparer les dégâts – un parquet en chêne ! – Il s'est révélé insolvable ; il avait résilié sa police d'assurance, depuis bien des années. J'ai constaté qu'à cette occasion encore le propriétaire a fait preuve à son égard d'une mansuétude que je ne m'explique pas, refusant d'entendre mes propres récriminations.

J'ai réparé de mon mieux les petites lattes que la chaleur du feu a fait travailler, m'efforçant d'effacer les traces de ce qui aurait pu être mon bûcher. Non, Géo, ne parle pas ainsi… trop pompeux… épique…

Il reste entre nous, et malgré mes efforts, sur mon parquet Versailles, dans un coin du salon, une tache. Une tache noire et indélébile. Le rappel perpétuel de la présence de M. Émile sous mes pieds, si proche. Le signe, non plus d'un voisinage, mais d'une promiscuité.

XVIII

Au moment même où j'ai résolu de rompre tout lien avec mon voisin, de ne pas me contenter d'échapper à sa vue, même de loin, mais à sa présence, sa désastreuse présence, sous toutes ses formes, au moment où j'allais faire disparaître de mon esprit son visage, son nom, jusqu'à son ombre (bien sûr il reste cette tache sur le parquet...), il est revenu vers moi.

Il me fuyait, il recherche ma conversation ; il me nuisait, il se montre prévenant. Comme si vol de courrier, lettre de dénonciation, incendie n'avaient jamais créé entre nous le moindre climat d'hostilité. Sans doute, s'il s'approche de moi, dans la rue, des cris muets me traversent le crâne : danseur au petit pied ! Pirouetteur bancroche ! Tango des faubourgs ! Java de sous-préfecture !... Je garde mes insultes pour moi : à quoi bon relancer la guerre ? Derrière son sourire sucré, j'entends moi-même d'autres reproches hurlés en secret : bavard ! Faux thésard ! Menteur ! Charlatan !

Tout ce que je devine encore n'empêche pas cette embellie incompréhensible, presque ces démonstrations d'amitié. Je craignais moins l'ennemi déclaré que le faux ami d'aujourd'hui.

Il m'oblige à de longues stations devant sa porte ou la mienne, me convie à boire un verre au café, debout au comptoir, toujours debout. Il est exclu que l'un invite l'autre chez lui. Trop humiliant de recevoir le docteur dans une cave ? Trop arrogant d'exhiber un vieil intérieur bourgeois ? Trop intime de s'asseoir face à face, même dans ces lieux neutres que sont les cafés ? Debout, il nous reste la possibilité de fuir, de nous fuir. De profil, de trois quarts, nous nous observons, nous nous quittons ; le premier fait un écart, le second se tourne, des passants nous gênent, des clients s'interposent, le dialogue tombe et se relève, au rythme des allées et venues des uns ou des autres.

S'il a bu plus qu'il ne faut (nos petits verres s'ajoutent à la bouteille ou aux deux bouteilles qu'il achète chaque jour à la station-service voisine), M. Émile devient disert, sans succomber aux accès de violence que je lui ai connus par le passé. Cet homme fuyant, presque effacé, qui répugnait jusqu'alors aux confidences, parle maintenant de lui, toujours de lui, seulement de lui. Jamais de ces phrases convenues par lesquelles on s'enquiert de l'état de son interlocuteur, de sa famille. Non : moi ! Moi ! Il aboie son moi, chante ses exploits, déverse ses vantardises.

À l'entendre, je devrais croire que ce talentueux et infernal musicien, dont les gammes d'éternel débutant m'ont fait subir les derniers supplices, donne des cours au Conservatoire de Musique. La fine fleur du talent, assure-t-il, va passer entre ses mains. Il sème les rudiments du solfège dans le cœur des enfants ; il fait éclore les dons de jeunes saxophonistes ; il répand son expérience une heure par semaine. Depuis trois semaines, dit-il. Tant de mérites en trois heures. Il ne se lasse pas de me le répéter. Le tout de manière bénévole.

Un autre jour, il a trouvé un engagement de figurant dans un clip musical (il prononce : « clipse », au singulier ; il est persuadé, j'imagine, qu'il s'agit du premier d'une longue série). Il doit apparaître, quelques secondes, vêtu de noir, avec son saxophone ténor, traverser le plan et disparaître, tandis qu'un groupe de jeunes musiciens locaux, dont le film présente le premier enregistrement, déploie ses acrobaties syncopées.

Un mince pécule salue cette apparition cinématographique dont il ne doute pas, à plus de cinquante ans, qu'elle va le lancer. Je m'efforce de modérer cet enthousiasme excessif : je crains, comme médecin, qu'il ne laisse place à la déception et à la dépression. Il ne m'écoutera pas, il glapit son moi ! moi ! – le soutient d'une gorgée de bière ou de vin.

Le plus beau, il me l'annonce un soir. Il me happe à l'instant où je franchis la grande porte. À le voir, je le crois malade : son visage me semble plus parcheminé que jamais, son corps plus décharné. Il me fait penser à ces marins qui m'ont consulté cet après-midi et qui m'évoquaient eux-mêmes tous les marins des autres jours avec leurs corps le plus souvent desséchés, calcinés ; ces chairs momifiées qui m'apparaissent quand je me force à leur demander d'ôter leur chemise pour les ausculter ; ces peaux que je dois palper, brunies, comme cuites à la croque au sel ; ces éruptions de plaques roses sur ces viandes exposées à une trop longue salaison – et jamais une femme à examiner ! Je me faisais cette réflexion pour la première fois de ma carrière, au moment où M. Émile m'a attrapé par le bras : je suis un des rares médecins à n'avoir aucune femme dans sa clientèle. Cette remarque me peinait, je ne sais pourquoi. L'état de délabrement de M. Émile me peine aussi. Je n'ai pas le temps de lui dire ma compassion qu'il me jette son bonheur à la figure.

Il a trouvé une nouvelle occupation, pas contraignante... une fois de temps en temps... et pas mal payé... Il commence la semaine prochaine. Un ami l'a invité à partager ses activités.

— Vous ne devineriez pas... me dit-il.

— Eh bien ? Dites !

— Vous n'êtes pas d'ici, je crois, mais vous connaissez tout de même le passé de notre ville ? Le point de départ vers les Amériques, autrefois, c'était ici... Les grands paquebots... New York... l'Amérique du Sud... je peux dire que j'ai vu tout ça de près !

— On me l'a dit, oui.
— Ah?
Il rêve, j'attends.
— Bien sûr, les transatlantiques ne sillonnent plus les mers, à notre époque, comme autrefois. En tout cas, plus sous la même forme. Parce que, imaginez-vous, de grands navires de luxe font encore escale chez nous, de temps en temps. On propose des croisières-souvenirs à travers l'océan. On s'arrête au Havre, comme à la grande époque. Des touristes américains, japonais, riches...
— Enrichis, dis-je.
— Si vous voulez, mais des gens qui en ont et qui peuvent s'offrir le voyage. Évidemment, ils ne passent que quelques heures ici, mais il faut bien les accueillir. Les compagnies leur réservent un traitement privilégié, le grand luxe, comme pour les célébrités d'avant ou d'après-guerre. À chaque débarquement, des musiciens locaux sont invités à offrir la sérénade. Ils se mettent en cercle au pied de la passerelle. Les riches descendent en musique, ils sont ravis, c'est rien que pour eux, ils applaudissent. Des fois, c'est des violonistes, d'autres fois, des groupes de jazz, dans le style de la grande époque, naturellement. Il faut créer l'atmosphère. Parfois, c'est encore mieux, on est admis à bord, parce que les clients ne débarquent pas. C'est le chic du chic, ça: des passagers font toute la traversée, jusqu'ici et ils ne descendent pas à terre. Ils n'ont peut-être pas le temps. De toute manière, ils n'ont rien à voir. Alors, on apporte la distraction. Mon ami Paul, qui tient la basse comme pas un, m'a dit comme ça: « Maintenant que tu t'es bien remis au saxo, joins-toi à notre bande, il y a un bon petit cachet à chaque fois. » J'ai marché tout de suite, je répète avec eux demain, je fais mon premier paquebot mercredi. Ça tourne bien pour moi, en ce moment, pas?
J'entends par avance M. Émile faire grincer son saxophone pour une procession de touristes qui singent la

gloire, l'honneur et le luxe. Quel accueil : hirsute, maladif, M. Émile, avec ses yeux caves, sa verrue naissante sur la joue, M. Émile, avec son dos cassé, ses doigts noueux, son air malheureux, M. Émile enchante le gratin des mers. Comme dans sa jeunesse, il va se hisser sur le pont supérieur, comme dans ses rêves se pavaner. Musique !

— Buvons pour fêter ça ! me dit-il.

Je ne veux pas le blesser… la paix et l'amitié entre nous… pourtant je doute de la réussite de son projet et de son existence même. Je crois mon voisin en pleine crise mégalomaniaque. Il me décrit deux ou trois fois encore les scènes à venir, il ferme les yeux, il y est déjà, il chantonne, il mime, il m'emporte presque. Notre entente serait à son sommet, si j'accordais le moindre crédit à ses paroles.

Célestine, ai-je pensé, elle seule pourra m'aider à démêler le vrai du faux… c'est son métier… philosophe.

— C'est le tien… médecin… a-t-elle répondu, quand je lui ai soumis mes interrogations.

J'insiste, j'expose mes doutes… cette inexplicable embellie dans mes relations avec le voisin. Elle rit, mais je devine, dans ce rire, une gêne. Elle fait l'occupée… pas le temps de m'écouter… plus tard… tout ça n'est pas bien grave… Elle m'échappe. Plusieurs jours de suite, je relance la conversation ; elle se découvre sur-le-champ une tâche urgente. Kant l'appelle.

— Mauvaise volonté, mauvaise foi, ai-je fini par lui lancer. Mauvaise foi, mauvaises pensées.

Tant de paroles mauvaises la mettent de mauvaise humeur.

— Tu veux savoir la vérité ? Vraiment ? Alors, tu vas l'entendre, puisque tu la réclames si fort. Après tout, c'est toi qui nous as mis dans de si beaux draps !

Oui, moi aussi, depuis longtemps, j'ai eu mes conversations avec M. Émile. Oui, depuis longtemps, j'ai compris que tu l'avais rendu malheureux par ta désinvolture. Il avait placé de grands espoirs en toi et tout s'écroulait. J'ai vu qu'il t'en voulait, comme tu l'avais bien saisi toi-même. Au-delà de ce que tu pouvais imaginer. La situation se dégradait trop clairement. J'ai craint un malheur. J'ai voulu apaiser chacun. Toi, j'ai refusé d'écouter tes jérémiades, d'alimenter ta colère perpétuelle contre M. Émile. Lui ? Eh bien… lui… je sais que tu vas m'en vouloir… je n'aurais jamais dû faire ce que j'ai fait… mais je l'ai fait : je lui ai juré que tu poursuivais ton travail sur la danse, ta fameuse thèse sur l'histoire du bal. Tout ça a une telle importance pour lui. Démesurée. Cet homme est comme fou, Géo. Il a du mal à lire et il a mis toute son espérance dans une thèse de doctorat imaginaire. C'est aberrant, c'est à peine croyable, et pourtant c'est l'exacte vérité. Une vérité maladive. Ce n'est pas moi qui devrais t'expliquer cela : une fixation, une obsession, une compulsion… je ne sais pas comment tu pourrais appeler son mal… à toi de savoir. Je lui ai affirmé aussi que tu parlais de lui dans cette thèse, que tu ne voulais montrer à personne le résultat de tes recherches. Et… ne te fâche pas… il faudra me pardonner, Géo… je suis même allée jusqu'à rédiger moi-même trois chapitres. Très facile pour moi, tu le sais bien, trois dissertations de Terminale. Je les lui ai confiés, comme si je te les avais volés. Je lui ai recommandé le secret, il a promis de ne jamais t'en parler. C'est depuis ce jour-là qu'il t'adresse de nouveau la parole, sans t'ennuyer avec ses réclamations. Il a mis fin, en même temps, à ses provocations. Je ne dis pas qu'il est guéri, mais l'effet placebo a joué momentanément. J'ai fait ton travail. Ce que tu aurais dû faire depuis le début.

Je demande à Célestine si notre voisin a pu croire une invention pareille ; un grossier montage de services secrets en déroute, ai-je ajouté.

— Il est prêt à croire n'importe quoi. Il est fou, te dis-je. Fou et malheureux. Cela dit, je ne suis plus si sûre qu'il me croie encore. Il était enthousiaste, il attendait d'autres pages. Je n'ai pas eu le temps de les rédiger. Et j'ai peur d'entrer moi-même dans la spirale de sa maladie. Certaines allusions de sa part me font penser qu'il a compris qui est l'auteur véritable des pages qu'il a entre les mains, mais il s'en moque, du moment qu'il est question de lui et de son expérience. Parce que, naturellement, j'ai pris soin de mentionner son existence comme témoin de première main.

— C'est idiot, ai-je conclu, mais moi aussi, maintenant, j'aimerais bien la lire, ma thèse. Qu'est-ce que tu as bien pu écrire là-dedans ?

*

Quand j'ai revu M. Émile, il semblait avoir oublié nos précédentes conversations. Plus question de paquebots, de clips. À peine une évocation de ses cours au Conservatoire, sinon modeste : il faut bien passer son temps… ça empêche de penser à autre chose. Ce retour à la raison me paraît aussi inexplicable que ses brusques flambées d'imagination, et beaucoup moins gai. Je me dis que le plus sage serait peut-être de profiter de cette accalmie dans nos relations pour régler définitivement la question de ma fausse thèse. Qu'enfin le malentendu soit levé. Entre deux personnes raisonnables et disposées à une mutuelle bienveillance…

J'ai à peine commencé mon allusion qu'il prend un air détaché et souverain.

— N'en parlons plus, s'il vous plaît. (Puis il ajoute :) Oui, s'il vous plaît.

Ce second « s'il vous plaît » est un des coups les plus appuyés qu'il m'ait jamais portés pendant ces quelques mois. Les prières font mal à ceux à qui elles sont adressées. Il y avait une douleur, un dégoût, dans ce « s'il vous plaît ». La lassitude d'un homme qui sait et ne veut pas en savoir davantage. Je n'insiste pas ;

c'est sans doute préférable ; si une bouffée délirante le reprenait ?...

L'ombre est passée, M. Émile retrouve une sorte de gaieté. Une gaieté factice, selon moi. Nous sommes devant le comptoir du Bar Bleu ; il se frotte les mains, l'air de plus en plus enjoué :

— À propos, j'avais une offre à vous faire...

Une pareille entrée en matière... je frémis.

— Oui, une offre : j'aimerais vous inviter, Madame et vous, samedi soir. Au casino d'Étretat. Soirée dansante, bal autrement dit. Avec orchestre. Petit orchestre, ce n'est pas grand, mais orchestre quand même. Des amis à moi. Entrée gratis. Et puis, à la fin, je vais faire un bœuf, avec les copains. D'autres se joindront à nous. Ce sera quelque chose. Il faut que vous voyiez ça, au moins une fois dans votre vie. Que vous participiez à ÇA, UNE FOIS dans votre vie.

Une fois dans ma vie ! Le perfide ! Vraiment pas dupe, je le vois bien. C'est l'ancien prince de la danse qui me parle, sûr de lui, par la bouche de mon voisin.

Alors, oui, nous irons ! Nous irons voir ! Et danser !

XIX

Célestine a consacré l'après-midi de ce samedi à des essayages, comme si cette soirée dans un club guère huppé revêtait l'importance d'un bal de débutantes. Elle hésitait entre un pantalon de marin flottant, avec des rangées de gros boutons blancs, et une jupette plissée à tuyaux. Puis, c'était une robe bouffante – trop chic, ai-je décrété – une autre, plus droite – trop simple. Les recherches continuaient, je découvrais, chez ma philosophe, des réserves de frivolité que je ne soupçonnais pas. Elle a tranché, plus tard, pour une jupe courte et moelleuse d'un bleu pimpant.

Elle m'a engagé à réviser quelques pas en sa compagnie. Je la sentais tendue comme une jeune fille avant un examen. Je n'allais pas me prêter à cette mascarade.

— Ce n'est pas le grand bal à la cour, ai-je protesté plusieurs fois.

— Je le sais bien. Mais, pour M. Émile, il n'y a pas de petit bal. Il faut lui faire honneur.

Plus tôt que prévu, notre voisin nous hèle depuis la rue; je l'invite, pour la première fois, à monter chez nous; l'occasion est trop belle: accomplissons ce geste symbolique. Il ne veut pas déroger à l'usage tacitement établi entre nous; il nous attend; il nous presse; il tient à être en avance. Il nous conduira: je ne lui connaissais pas de voiture, ai-je fait remarquer à Célestine, comme s'il s'agissait d'une relation féminine. C'est la mauve et vénérable 4 L de son oncle. En même temps que la sienne, précise notre voisin. Le bon oncle, voilà des années, a eu l'idée de l'acheter, au nom de son neveu, tout en s'en réservant la jouissance, afin de faciliter la transmission de ce seul héritage, en cas de disparition. M. Émile est donc propriétaire d'un véhicule dont il ne dispose qu'exceptionnellement selon le bon vouloir de son oncle. Il est à craindre que son patrimoine, mangé année après année par la rouille, ne se réduise bientôt à une pure épave. M. Émile sourit tristement : que pouvait espérer de plus un héritier de sa trempe ?

Embarquons. Notre voisin s'agite comme un capitaine tenu par un horaire de marée. Appareillons et vite : longue et rectiligne traversée de la Ville Basse, jusqu'au pied de Sainte-Adresse ; la 4 L jette toutes ses forces dans l'ample montée qui rejoint, au terme de sa courbe, la route d'Octeville pour longer l'extrême occident jusqu'à Étretat. L'auto ronfle et tangue. Il fait jour encore, à l'approche de l'été. Une petite demi-heure de route, nous a annoncé le chauffeur. Il semble peu accoutumé à la conduite : nous nous taisons pour le laisser se concentrer sur la ligne blanche. Chaque relief de la route me traverse la colonne vertébrale. Je saute, je tressaute sur la banquette arrière, tout en retenant de la main gauche l'étui du saxophone, posé à côté de moi, et qui menace, à chaque instant, de basculer. Une boîte oblongue, rigide, sombre, avec des coins en métal doré, rivetés, bien astiqués, qui jettent des éclairs, si les derniers rayons du soleil, de proche en proche, viennent les effleurer. Célestine, à l'avant, s'efforce d'amortir de son mieux les contrecoups d'une suspension défaillante, pour ne pas se chiffonner.

L'allure modeste de notre carriole ne nous empêche pas d'arriver largement en avance. M. Émile ne cherche même pas à nous entraîner vers le casino, au contraire :

— Faisons quelques pas le long de la plage. Je voulais revoir les falaises avant la nuit. Et puis, j'aime bien sentir l'atmosphère qui précède une grande fête.

Nous longeons les galets, seuls marcheurs sur la promenade, en direction de la falaise d'Aval. Je remarque que notre voisin tire la jambe. Dansera-t-il ? Il a surpris mon coup d'œil :

— Ça tiendra ! Vous en faites pas ! C'est pas la première fois. Chez certains artistes, l'estomac se noue avant le spectacle ; moi, c'est le genou. Après, quand je suis lancé, quand il est chaud, rien ne l'arrête !

L'étui de son instrument semble peser au bout de son bras et accentuer sa claudication. Je lui propose mon aide ; je l'agace ; il refuse d'une main brusque et serre la boîte contre lui, comme pour se protéger d'un voleur.

Arrivés au bout de la promenade, nous faisons demi-tour. Marche lente jusqu'au pied de la falaise d'Amont. Là, M. Émile nous invite à nous retourner pour contempler une dernière fois, vue sous son angle le plus large, la falaise d'Aval, ce monument de carte postale, érodé par des millions de regards plus que par le vent ou les eaux.

— Vous avez vu l'arche ? Tout le monde trouve ça élégant. Moi, je veux bien. Je l'aime aussi, cette arche, remarquez. Pas pour son élégance. Moi, c'est des souvenirs : quand j'étais gosse, mon oncle et ma tante m'amenaient là-bas, comme tout le monde. Quand je la voyais, cette arche, grande ouverte, comme elle est toujours, je pensais à un entrecuisse, avec une bonne jambe bien plantée et une deuxième grosse jambe boiteuse qui se traîne dans la mer. À marée basse, on allait dessous, j'essayais de voir ce qu'il y avait entre les jambes. Eh bien, croyez-moi, c'est une femme. Allez-y voir un jour.

— Et l'Aiguille ? ai-je demandé, avec ma perfidie coutumière.

— Oh, pour moi, ce n'est pas une aiguille non plus. Vous avez déjà vu des aiguilles de cette forme ? Je l'ai souvent examinée, elle aussi : c'est un grand doigt qui menace le ciel.

L'entrecuisse et le doigt se sont volatilisés au cours de la conversation : la nuit n'a sauvé d'eux que leur ombre massive. M. Émile nous propose de dîner dans un de ces restaurants de la plage, protégés du vent par de grands panneaux de Plexiglas souillés par les embruns. Nous commandons, en terrasse, des darnes de saumon à l'oseille. Notre voisin engloutit sa part, sans prendre le temps d'en apprécier la finesse, sans laisser s'installer, contrairement à ce que nous aurions pu escompter, un climat propice aux confidences. Mes questions sur ses amours passées ou plus récentes (son Allemande ? Ces deux femmes, en ciré de couleur, si semblables, qui étaient-elles ? Deux sœurs ?) tombent dans le vide. Celles de Célestine sur ses navigations sont écartées d'un : « Ça ne vaut plus le coup d'en parler, à présent. »

Il ne consent à évoquer que les cours de danse de sa voisine et la soirée qui s'annonce : il semble en attendre beaucoup. Cette insistance nous surprend et nous déçoit. Pour la première fois que nous le tenions assis sur une chaise, nous nous prenions à espérer je ne sais quelles révélations définitives, après toutes celles que nous avons recueillies au long de deux années, sans parvenir à les confirmer, et qui ont fait de M. Émile un homme exceptionnel à nos yeux, amical et haïssable, familier et énigmatique. Mais non : il avale, il avale, il répugne à se révéler.

Nos îles flottantes à peine dévorées, il se lève de table. Ne nous laissons pas aller. La vraie fête nous attend. Il exige, dit-il, de régaler la compagnie ; je n'ose pas protester longtemps contre des largesses si peu raisonnables pour sa bourse, de peur de l'insulter.

Sur la place qui s'étend au-delà des terrasses des restaurants des groupes affluent ; des voitures tournent, cherchent en vain à se stationner, lâchent leur volée joyeuse en habits de fête, et repartent. M. Émile saisit la poignée de son étui d'une main ferme, malgré les premiers effets d'un vin blanc hors de prix.

— C'est par ici, dit-il, l'entrée ne se fait pas du côté de la plage, mais par-derrière, côté rue.

Je découvre, en effet, que nous avons dîné devant le casino ; je ne m'en étais pas aperçu : l'édifice est sans charme, presque invisible, malgré les doubles lampadaires qui jettent des feux prétentieux sur sa façade à la blancheur terne. À bien observer on devine une vague intention architecturale : le toit, en creux, fait une sorte de V inégal et aplati, ou, mieux, figure le symbole des racines carrées ; on entre dans le monde des chiffres, des sommes à multiplier ou à diviser.

Je suis venu bien des fois à Étretat, sans jamais remarquer, plus qu'une autre, la présence de cette bâtisse.

— Ça ressemble à tout, ai-je dit, sauf à l'idée qu'on se fait d'un casino, avec ailes, flanquées de tours trapues et cossues, entrée spacieuse, donnant sur le front de mer des villes balnéaires... le casino début de siècle, prospère... celui-là crie misère...

M. Émile s'élève contre mes sarcasmes. Il ne le trouve pas laid, ce casino, pas splendide, mais pas laid. Je ne le contrarierai pas davantage, ne suis-je pas son invité ?

Nous nous engageons dans une rue étroite, la rue Adolphe Boissaye : l'entrée du casino, là-bas, avec son auvent rouge passé, ne paie pas de mine. Une petite foule piétine sur le trottoir, déborde sur la rue, et parle fort. Notre guide se lance. À nous. Laissez passer. Un artiste et les siens. Il bouscule les bavards immobiles, les heurte de sa boîte aux coins d'or qu'il pousse de son genou valide, comme une valise trop lourde. Il répond, renfrogné, aux protestations. Arrogant. Je crois qu'il se sent au-dessus du lot. Pas un danseur qui l'égale, parmi tous ceux-là, c'est certain.

Il nous mène droit au but, nous martèle qu'il connaît bien l'endroit. Il l'a fréquenté longtemps, comme tous les casinos de la côte, de part et d'autre de l'estuaire de la Seine, de Dieppe à Cabourg. Là où ça brille, assure-t-il, il se sent chez lui. Il nous montre, avec la fierté d'un propriétaire, le geste large, les tapis mauves, la décoration chatoyante…

Célestine flotte dans son sillage, je trotte pour ne pas les perdre, il se lance à l'assaut du grand escalier, nous ouvre le chemin: il est déjà là-haut, il file à droite… l'entrée du club… le sanctuaire de mon voisin…

Je m'attarde à gauche: un autre saint lieu; des portes battent sans arrêt; un va-et-vient continuel de fidèles: la salle des machines à sous… des dizaines de machines à sous, des dizaines de joueurs, le tintamarre des bras actionnés selon le rite, la grêle des pièces de monnaie… Et dans ce tintamarre, et sous cette grêle, j'éprouve la sensation d'un silence; le silence des joueurs; le regard triste et halluciné des joueurs.

J'ai rejoint Célestine près de M. Émile. Il s'est fait reconnaître d'un personnage de la maison qui nous invite à entrer. Celui que nous avons, depuis le début, considéré comme un solitaire maladif serre des mains à la ronde, échange des mots avec l'art consommé d'un mondain, sous l'œil protecteur du personnel.

Un couloir bordé de colonnettes couvertes de lamelles argentées (« Ça fait riche », dis-je à M. Émile, pour lui complaire… Il ne relèvera pas…) nous conduit à la piste de danse circulaire, luisante, d'une taille modeste (« C'est une piste de club », concède mon voisin), ceinte en partie d'une estrade où sont disposés, pour les consommateurs, de petits boxes, avec tables rondes et fauteuils. Nous réservons une place avant de rejoindre les musiciens qui finissent de s'installer. M. Émile tape dans de nouvelles mains, échange des bourrades de vieux copains, fraternise à tout va. Je reconnais l'un de ces hommes: le demi-chauve, venu frapper, un matin, au carreau de M. Émile, en compagnie d'un Hercule armé; il tient la contrebasse. On manifeste une joie bruyante, le rire est franc, la blague solide. On rappelle qu'en fin de soirée un bœuf réunira les vieux amis.

Notre voisin s'écarte un instant du quintette des jazzmen pour aller déposer, à côté du matériel de ces musiciens, son propre étui à saxophone, qu'il couvre, comme pour le soustraire aux regards, de sa veste de daim râpée. Sous cette peau défraîchie, se découvre un homme neuf, avec sa chemise blanche aux manches bouffantes et un petit gilet à l'ancienne, matelassé, satiné, or, aux motifs d'abeilles, fermé de boutons bronze patiné, où se glisse une fine cravate moirée. L'homme du sous-sol renaît sous nos yeux, plus droit, plus grand, plus ample, sûr de lui dans ses chaussures pointues, ses chaussures noires et brillantes de danseur. Il est beau. Il est lumineux dans la demi-obscurité qui s'installe pour les premiers rythmes doucement entraînants. Il faut attirer et arrimer quelques danseurs sur la piste, créer l'ambiance. On s'observe, on circule, chacun cherche sa place, achève une conversation.

Puis le ton monte, la petite foule grossit et se trémousse, applaudit un solo de clarinette. Le trio que nous formons reste en observation :

— Pour l'instant, c'est de la petite bière, commente notre spécialiste. Quand ce sera sérieux, bien lancé, nous irons. Je compte sur vous, pas ? Ils verront.

De la petite bière ! Célestine et moi nous sentons autorisés par ce jugement à laisser se développer notre goût de la charge. Nous relevons les efforts appliqués d'un pataud ; un homme au cou épais et à la bedaine débordante fait l'élégant et se contorsionne sans crainte de faire rire ; une quinquagénaire rubiconde prend des poses de ballerine…

J'ai envie de demander à M. Émile qui singent tous ces danseurs, quel modèle il faut avoir dans l'esprit pour consentir à faire subir à des corps inaptes de pareilles transformations. Je juge, cette fois, plus prudent de m'abstenir de toute remarque susceptible de m'attirer de nouveaux ennuis avec mon voisin. Du reste, à mesure que les airs défilent, il semble absorbé par le spectacle, comme attiré par une force supérieure, prêt maintenant à se jeter dans la ronde. Célestine n'a pas ma retenue: elle n'a jamais su résister à une citation:

— Quand je vois tous ces lourdauds qui s'enlisent dans la piste, alors qu'ils croient danser, je commence à comprendre un mot de Nietzsche...

— Zarathoustra, naturellement? ai-je demandé.

— Oui, il dit: « Une jambe n'est pas une aile. »

M. Émile va-t-il mal le prendre, avec son pauvre genou? Il a sursauté, il scrute le visage de Célestine, se détend:

— Vous vous avancez un peu: des jambes qui volent, vous allez en voir tout à l'heure, je vous le promets. Les vrais amateurs vont se lancer.

L'orchestre soulève maintenant l'enthousiasme avec un cycle d'airs sud-américains. M. Émile entre dans la danse et agrippe une partenaire avec un naturel confondant. Tour, demi-tour, le genou ferme, la hanche immobile, l'épaule décalée – tout dans l'épaule! Le pas descend de l'épaule, file, file, et revient. Le bras allège le pied; la tête, droite, prolonge le mouvement; le corps tout entier s'emballe, glisse, glisse, pied droit, pied gauche, glisse, glisse. Les guitares emportent les talons, des mains empoignent des nuques, les groupes se serrent, se fondent. Tous se regardent et personne ne semble se voir. Je me livre à une observation singulière: je choisis un danseur ou une danseuse au hasard et je l'examine détaché des autres; je suis ses variations parfois désaccordées: je ne vois plus qu'une sorte de sourire figé, sous un regard vide et triste comme celui des joueurs, mais un sourire désarmé et sensuel, à la fois innocent et obscène. Oui, c'est cela, le sourire du danseur. Il est nu, comme un Adam au Paradis terrestre, mais il est devant tout le monde.

Célestine interrompt ma méditation déplacée à cette heure et à cet endroit:

— Arrêtons de faire tapisserie, veux-tu?

Nous basculons dans la ferveur mystique. Nos pieds se mêlent aux pieds de la foule. Célestine me sourit (le sourire obscène du danseur !). Il est probable que mon sourire, en réponse, révèle le même soudain abandon. Dépouillé de toute vergogne, j'ajoute mon roulis à la vague générale. Une vapeur s'élève de cette mer ; les vêtements collent aux peaux (les dénudent !) ; les parfums forts des femmes se colorent de sueur, le musc animal se répand dans l'air raréfié...

Les lumières animées et colorées des spots décomposent les visages... les superposent... les échangent... les têtes sautent d'un corps à l'autre... des bras... des bras nus et fins s'attachent à des corps massifs... et les jambes... cette paire de jambes... moulées dans des bas à motifs... se glisse sous des torses divers... tourne ici... surgit là... glisse, glisse... file, file... Partout à la fois. Des mains volent de l'un à l'autre... la meute des pieds s'éparpille au milieu des aboiements de l'orchestre... taïaut !... on tourne, on saute... on tourne... on saute. On tourne et saute. Toujours... toujours... tout s'efface... on ne sent plus ses pieds... Que reste-t-il ? Une paire de jambes, la même, pour tous les danseurs, dans la confusion des danseurs. Il n'en reste qu'un : un danseur unique roule sur la piste. Je suis ce danseur unique, uni à tous les autres.

Combien de temps ai-je été immergé dans ce flot brutal et indolore ? Célestine elle-même, retrouvée par miracle, n'en sait pas plus que moi. Sa jupe bleue a souffert dans l'agitation, elle se rajuste, touche ses joues brûlantes :

— Il faudrait boire, dit-elle.

Justement, M. Émile bondit derrière elle, trois coupes dans la main gauche, une bouteille de champagne dans l'autre.

— Vous êtes le diable ! lui dis-je.

— Pas loin ! (Et il rit dans sa moustache hirsute.) Que dit notre bon docteur de cette première expérience ? Car c'est une première expérience, pas ?

— N'exagérez rien ! Mais je reconnais que je ne m'étais pas livré de cette manière depuis des années.

M. Émile rit une seconde fois, mais d'un rire triste, mêlé de soupirs, où je sens une hostilité voilée :

— Au moins, je t'aurai fait danser, mon petit !

Le tutoiement le reprend ; je vois son œil mauvais, violent. Est-ce qu'il va me faire une scène en plein bal ?

— Oui, dire que c'est moi, au bout du compte, qui t'aurai fait danser ! Moi le raté. Tu m'as bien fait comprendre que tu me prenais pour un raté. Mais je suis pire que ça. (Il crie pour ne pas se faire étouffer par une brusque bouffée de musique :) Je suis même pas un raté ! Je suis un raté raté ! C'est dire ! Allez, trinque avec ton raté, docteur ! Buvons ! Buvons à la joie ! À la danse ! Tu vois ça ? Regarde-les tous : pour moi, vivre, c'était ça. Danser et faire danser les autres. Tu comprends ? Au moins, je t'aurai fait danser, toi ! Tu sais que tu te débrouilles pas mal pour un ignorant ?

Il est minuit passé, la bouteille est vide, on entend les premières notes d'un tango.

— Je vous emprunte Madame ? me demande M. Émile.

Célestine est déjà partie au bras de cet homme que je croyais réconcilié et qui vient de m'assener, une nouvelle fois, son dépit, presque sa haine. Je ne sais plus que penser de ce petit bonhomme orgueilleux. Il a rêvé sa vie ? Il s'est cru investi d'un pouvoir chorégraphique imaginaire sur le monde ? Du moins, son petit monde, ce petit monde qui se réunit le soir pour danser. Il m'a fait danser, pense-t-il, il en est fier, mais moi, où l'ai-je mené, au long de ces deux années de voisinage ?

Ils dansent, loin déjà, à grandes enjambées cadencées… basculent… et retour… Ils balancent d'avant en arrière… rapides et lents à la fois… et retour… Quel picotement au ventre, quelle brûlure au bas-ventre, quand je vois Célestine dans cette posture, soumise à un autre homme ! Soumise, mais souveraine ! Elle s'y entend, ma philosophe ! Ses pas sont réglés comme un syllogisme ! Le geste épuré, le regard ferme et droit ! Elle avance... avance... bascule... et retour... C'est bien ça, un syllogisme, le tango. Le morceau me semble durer plus qu'aucun autre. M. Émile ne donne à aucun moment l'impression de souffrir de son genou ; sa jambe plie, en souplesse ; ses glissades coulées, ses reprises aériennes, buste rejeté en arrière, font grande impression sur les spectateurs. Le couple occupe maintenant le centre de la piste. D'autres rivalisent. On s'écarte. Qui sera le prince ? Les abeilles sur le gilet de M. Émile dansent devant mes yeux, leur essaim vibrionne et tourne autour de Célestine, l'enveloppe, la pique !

Dernières mesures, dernière parade, tout s'éteint dans un grand souffle. Célestine revient vers moi, dans notre box, épuisée et radieuse, conduite par M. Émile qui me défie d'un regard noir, comme un voyou argentin. Il a tenu son rôle et son rang : à quatre pas d'ici je te le fais savoir, doit-il penser, s'il en a encore la force, après avoir donné son cœur pareillement. Il voulait que je sache enfin à qui j'avais affaire.

— Vous tenez là une fameuse danseuse, me dit-il, dommage que vous vous en soyez jamais aperçu. J'aurais fait quelque chose d'elle, moi, il y a dix ou vingt ans...

Un coup bas ? Qu'importe, j'ai commandé une seconde bouteille de champagne, trinquons. Nous ne sommes plus les mêmes. Plus les mêmes, depuis ce soir, à cause de ce champagne. Plus les mêmes depuis deux ans, l'un à cause de l'autre, ai-je dit à mon voisin. Il n'a pas répondu ; j'ai le sentiment soudain que son cœur n'y est plus ; ses traits déjà si marqués se crispent ; je devine comme un accès de tristesse, puis une absence : il ne nous écoute plus vraiment, ses yeux vagues glissent sur la foule qui a repris possession de la piste et sautille, sans grâce et sans talent, d'un pied sur l'autre.

Il quitte notre table sans un mot, sans un regard. Il circule dans le club, soulève un lourd rideau bleu : vue sur mer, la nuit. Il disparaît, revient, erre. À distance de nous. Parfois, il plonge dans la masse grouillante et s'y fond un instant ; reparaît ailleurs, fluide, insaisissable, comme il a toujours été à nos yeux. Les moments de calme succèdent à de brefs éclairs de frénésie.

— Je crois bien qu'il nous a oubliés, dit Célestine.

L'heure avance, le public change insensiblement. Les plus fatigués ou les plus sérieux se sont déjà retirés, remplacés après quelques minutes de flou où tout menaçait de s'arrêter et où tout a repris plus vivement, par des groupes de fêtards plus jeunes, plus rieurs, plus acrobates.

M. Émile continue à nous ignorer. Nous remarquons que sa jambe, à intervalles réguliers, fléchit : un masque de souffrance s'est déposé sur son visage. La chaleur, le champagne, la puissance de l'orchestre, les cris des danseurs nous pèsent à notre tour. Nous faisons des signes à M. Émile ; il ne nous voit pas. Il boite, il grimace. Le rejoindre sur la piste ?

Après de longues minutes d'un martèlement routinier, les musiciens annoncent un nouvel épisode « à l'ancienne », une de ces danses que seuls de bons amateurs, aujourd'hui, peuvent exécuter : un paso doble. La jeunesse pousse un hurlement joyeux et moqueur ; elle s'enchante à l'avance de voir évoluer des couples sérieux et kitsch… le clou comique de la soirée…

— Et après le paso doble, crie l'ami de M. Émile, à côté de sa contrebasse, grand bœuf final, avec tous ceux qui veulent nous accompagner !

Un paso doble ! Ma philosophe ne voudrait manquer ça sous aucun prétexte ! Elle m'entraîne, le pied sûr, dans la ronde ; je m'essaie, sans doute un peu grotesque, à fondre mes pas dans les siens. Nous croisons M. Émile agrippé à une forte femme, et incapable, désormais, de rester en mesure : il abandonne, sous nos yeux, sa cavalière ébahie, et fuit. À mon tour, je ne veux plus danser, j'abandonne Célestine au milieu d'une figure, je suis du regard notre danseur blessé, si profondément blessé.

Il est passé derrière l'orchestre, il resurgit sur le côté : je devine, dans les éclats de lumière colorée, l'étui de son saxophone, avec ses coins dorés.

La jeunesse pousse des cris de plus en plus stridents, le tempo syncopé du paso doble atteint des sommets de virtuosité.

Les couples tournent sans heurt, l'allure est belle, l'harmonie les enveloppe. Pour un peu, je plongerais de nouveau avec eux, dans le cercle. Mon regard revient à M. Émile, sur le côté.

Il ouvre sa boîte, dans la pénombre qui scintille… son instrument brille un instant… je ne le distingue pas encore nettement, ce saxo que j'ai tant entendu et jamais vu… il le porte à sa bouche… je m'approche… il m'a vu ?… un signe ?… son œil rit ?… dans la demi-obscurité, je ne peux être sûr de rien… sa main descend, semble-t-il, jusqu'à la touche la plus éloignée… il cherche la note… une note enfin… une note parfaite ?… il souffle dans l'embouchure… non – je comprends tout en une fraction de seconde – c'est l'instrument qui souffle en lui… dans un mince éclair blanc… je suis le seul à le voir, le seul à entendre sa note… sa note parfaite… sa détonation… sa détonation perdue dans les cadences du paso doble… et qui lui emporte le visage…

Je crie, je cours. Les musiciens et les danseurs poursuivent leurs joyeuses embardées. Non, l'orchestre se débande, les couples ne sont plus en mesure et s'emmêlent. Un bref silence, puis un mouvement de foule se dessine, me rejoint auprès du corps affaissé. Il perd